南からの世界史

北に覆われた南の浮き沈み

改訂版

佐々木寛

22世紀アート

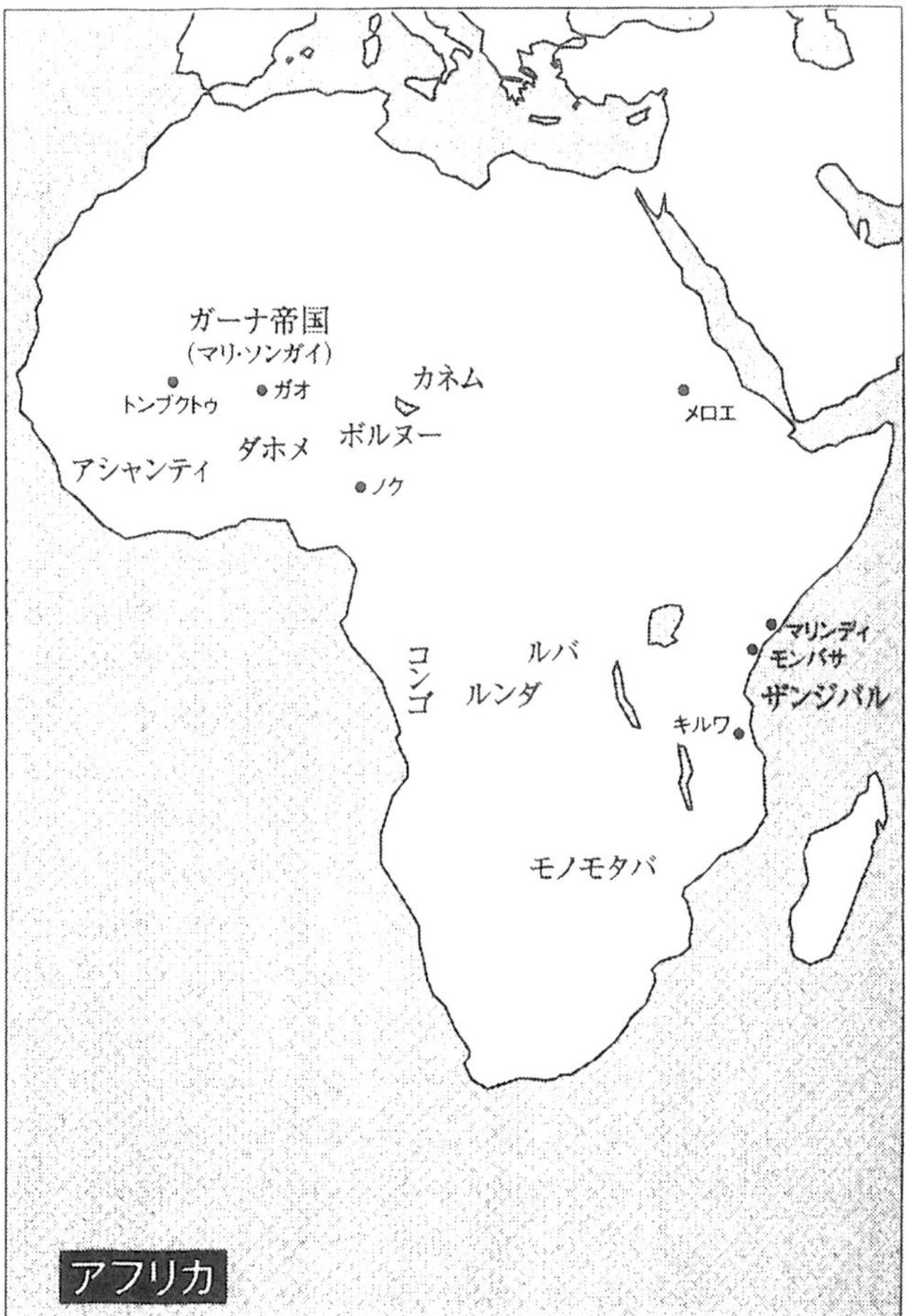
ガーナ帝国
（マリ・ソンガイ）
トンブクトゥ
ガオ
カネム
メロエ
ダホメ
ボルヌー
アシャンティ
ノク
マリンディ
モンバサ
ルバ
コンゴ
ルンダ
ザンジバル
キルワ
モノモタバ
アフリカ

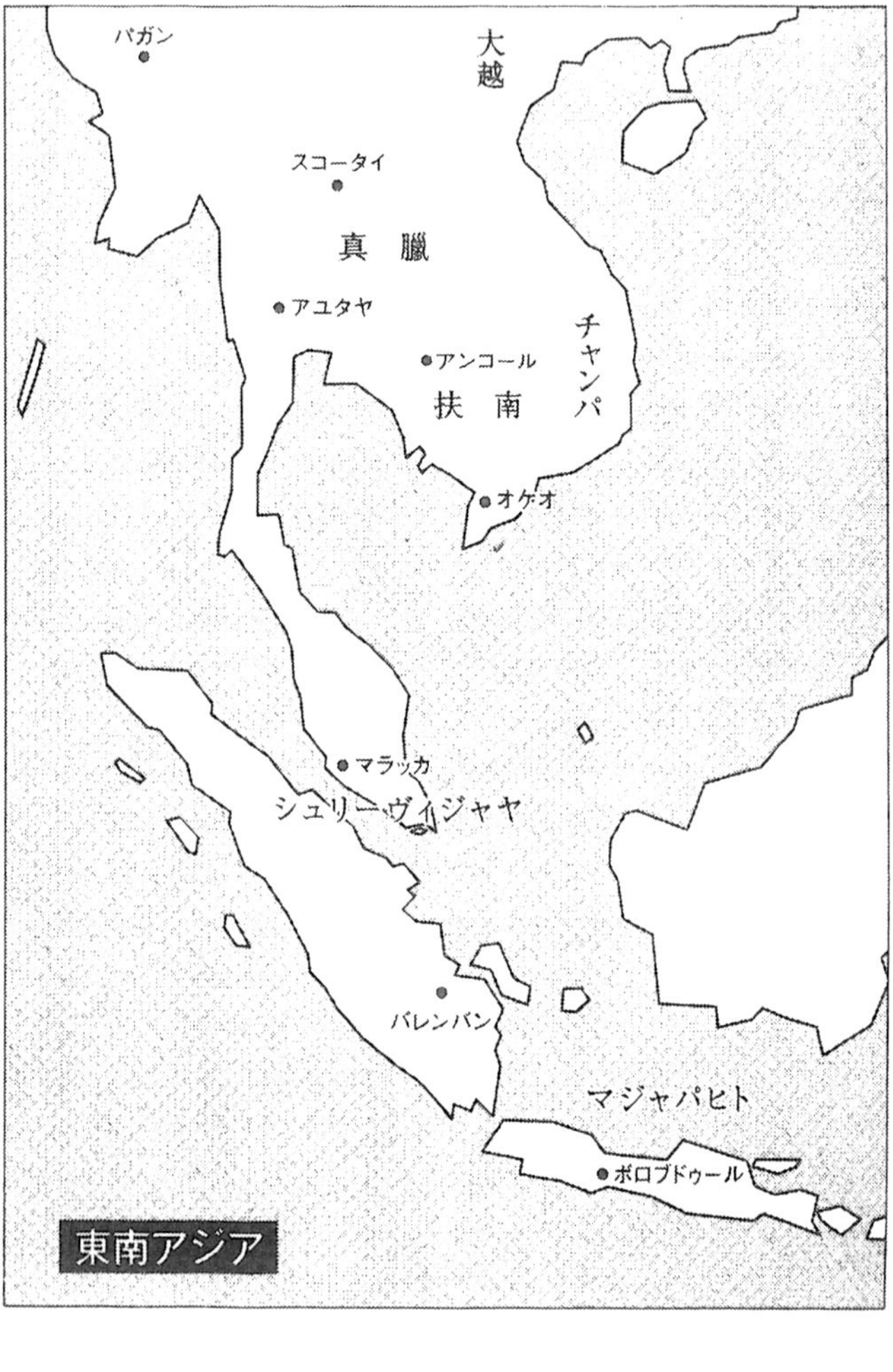
パガン
大越
スコータイ
真臘
アユタヤ
チャンパ
アンコール
扶南
オケオ
マラッカ
シュリーヴィジャヤ
パレンバン
マジャパヒト
ボロブドゥール
東南アジア

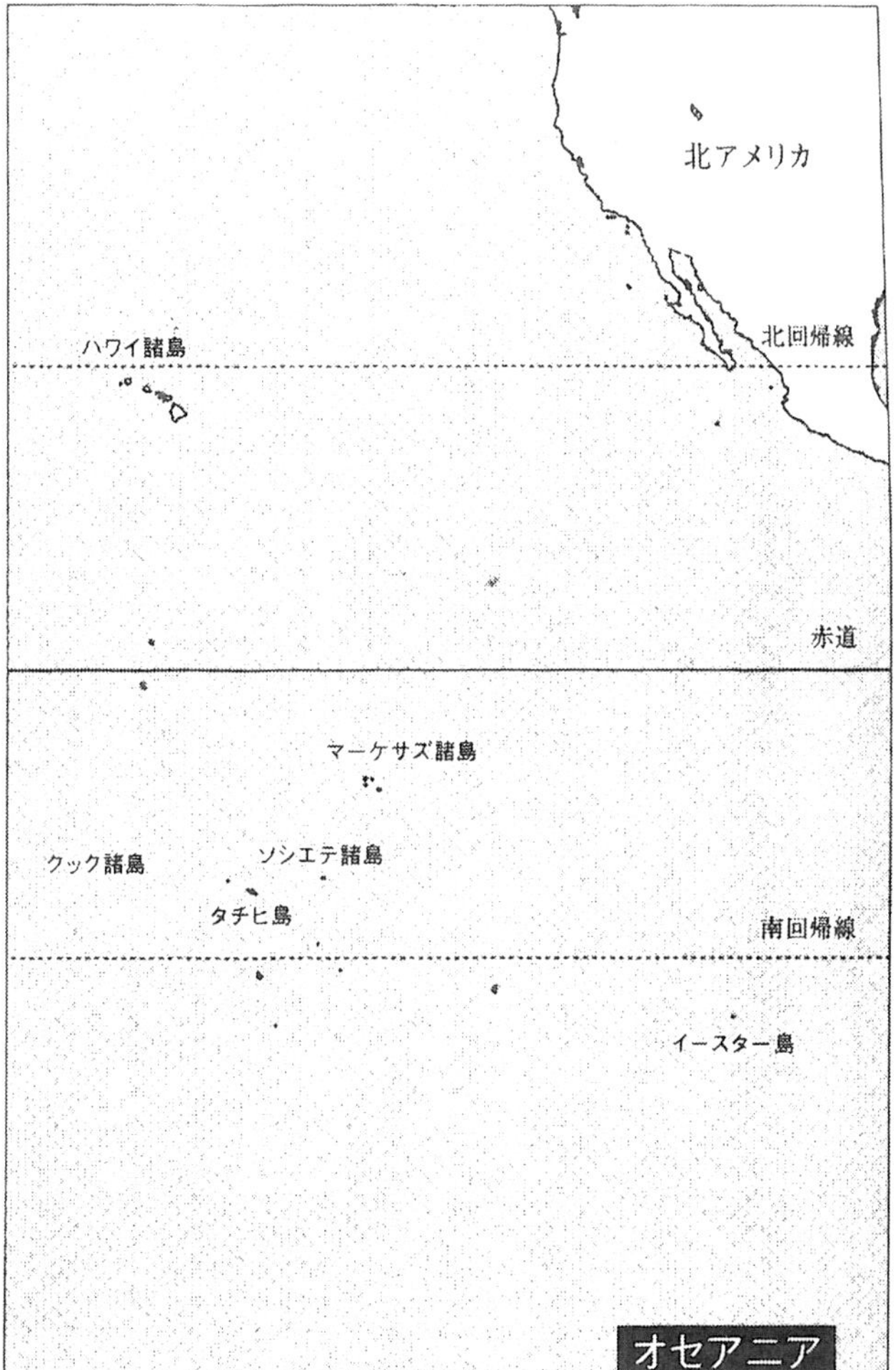
北アメリカ
ハワイ諸島
北回帰線
赤道
マーケサズ諸島
クック諸島
ソシエテ諸島
タチヒ島
南回帰線
イースター島
オセアニア

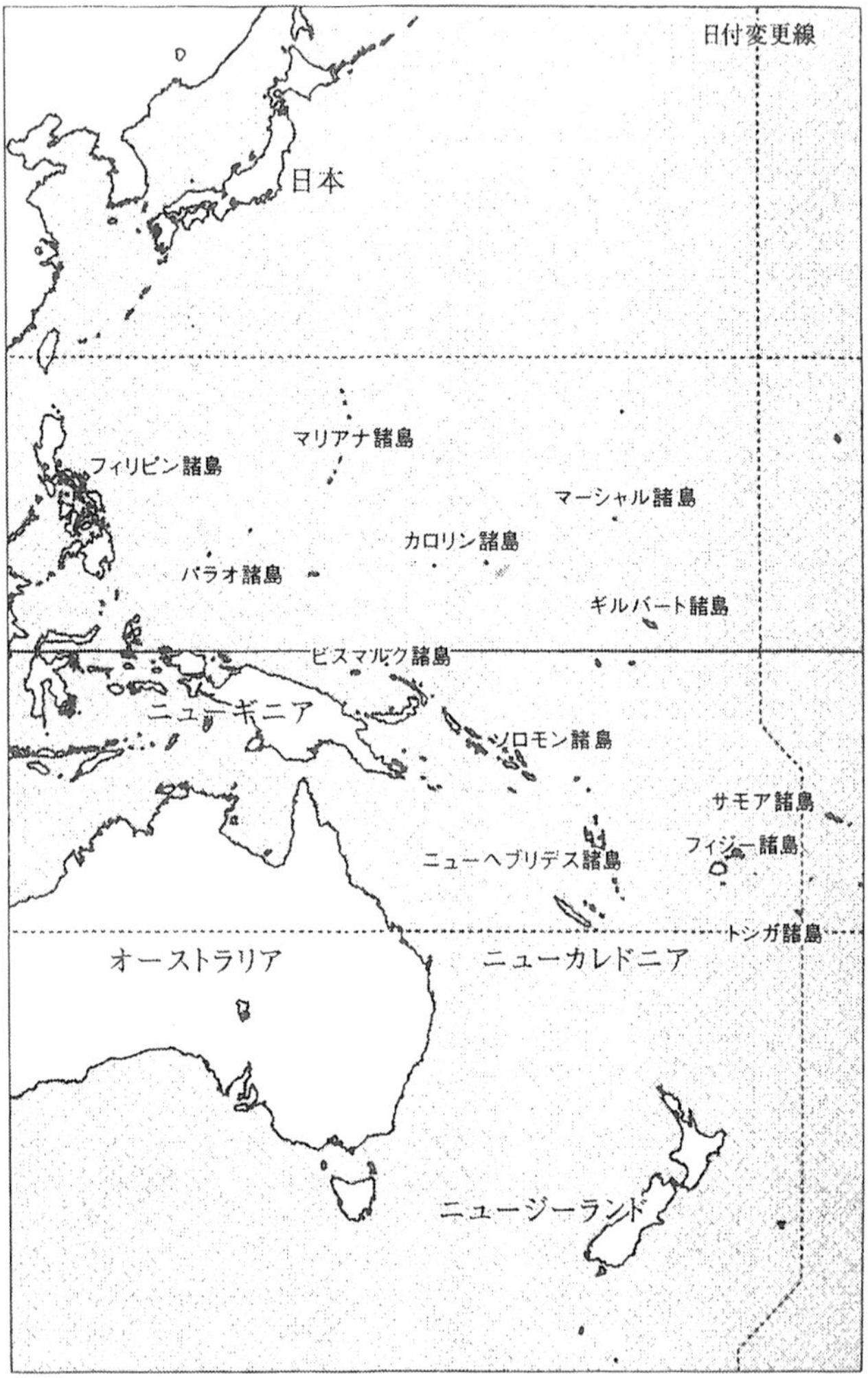
日付変更線
日本
マリアナ諸島
フィリピン諸島
マーシャル諸島
カロリン諸島
パラオ諸島
ギルバート諸島
ビスマルク諸島
ニューギニア
ソロモン諸島
サモア諸島
フィジー諸島
ニューヘブリデス諸島
トンガ諸島
オーストラリア
ニューカレドニア
ニュージーランド

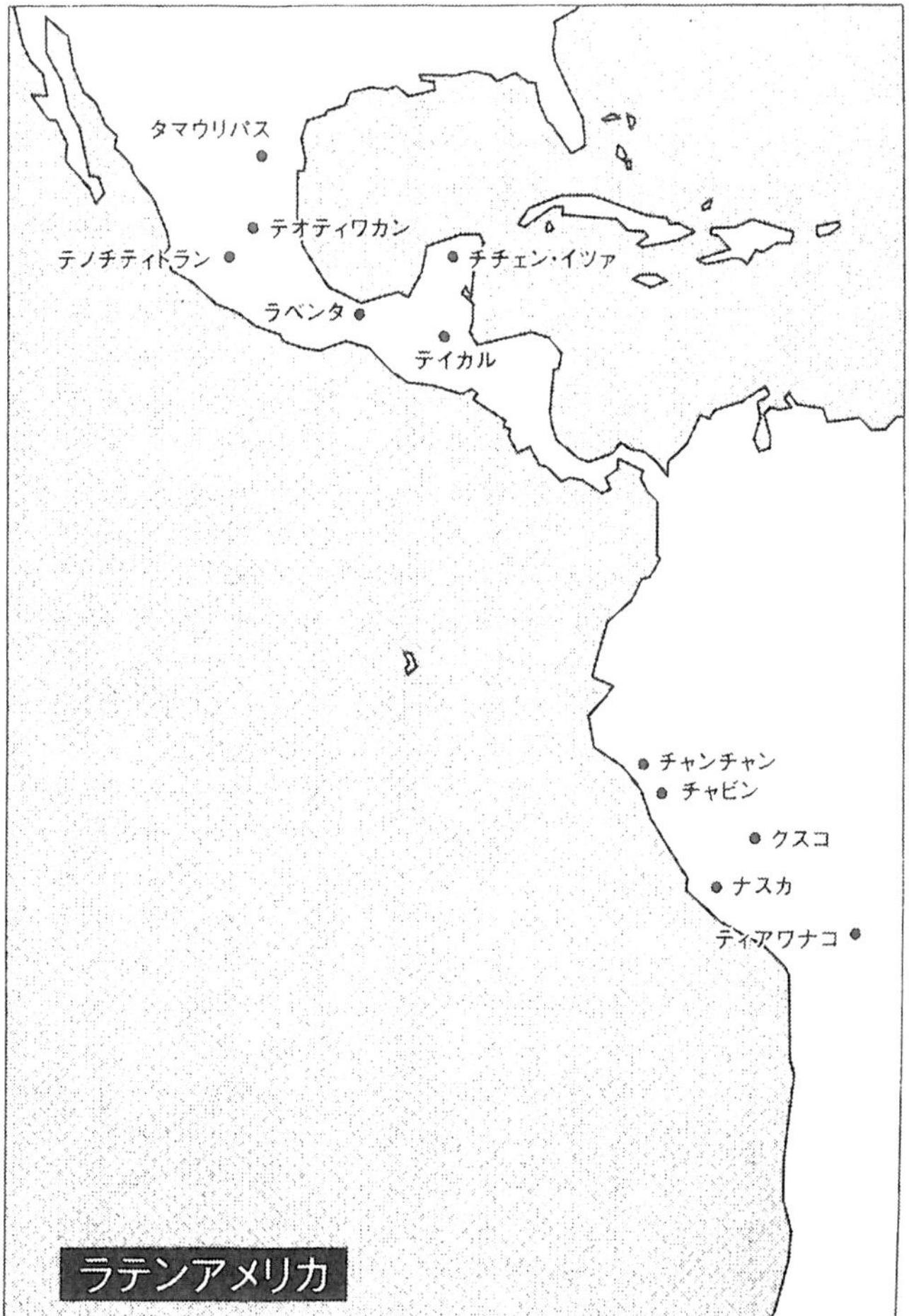
タマウリパス
テオティワカン
テノチティトラン
チチェン・イツァ
ラベンタ
テイカル
チャンチャン
チャビン
クスコ
ナスカ
ティアワナコ
ラテンアメリカ

目　次

はじめに　―世界史のあり方について―

国際化ということが流行語になっているが、国際社会の一員として、日本は世界の各地域、民族と対等に交わっていくことが求められている。世界史もそういう立場で書かれ、教えられるのが当然であろう。また歴史には、権力者の側から見た歴史と民衆の側から見た歴史がある。今日の民主主義を理念とする社会では、いうまでもなく後者の歴史が基本となる。

歴史を民衆の立場からとらえるということは、被支配者の立場で物を見ることであり、弱者や差別された側に立って歴史事象をとらえるということである。これは、単に一つの国の歴史に適用されるだけでなく、世界の歴史にも妥当することである。

しかし、今日、高校の教科書をはじめ出版されている世界史の多くが、改善の努力はされつつも、依然として西洋史と中国史を中心とした大国、強者中心の歴史が主流となっている。言葉を変えれば、いわば経済の発達した北の国々を中心とした構成が世界史の主流ということである。

もっともアフリカ、ラテンアメリカ、南アジアなど、南の歴史にも触れないわけではないが、北の国々との関係で付随的に触れられるにすぎない。

それは・日本の学界の現状が、西洋史、中国史に偏しており、それ以外の分野は人材、研究の蓄積いずれにおいても手薄であるという現実の反映だと思われる。しかし、もっと根本的には・明治以後の日本の近代化のあり方が関係している。明治以後の日本の近代化が西洋の社会、文化の発展を範として行われたことからくる欧米への傾斜、崇拝が西洋史を発展させたこと。他方・日清・日露戦争後の中国大陸への進出を背景として東洋史が形成され、発展してきたことによる。

西洋史や中国史を世界史の中枢に据えるのは、このような現実的な問題の他に、より本質的にはこれらの文明・文化が他の文明・文化に比し、現代日本の社会、文化形成の基本的要因となり・現代日本を理解する上で不可欠の知識とみるからであろう。西洋史についていえば、荘園制・農奴制の解体から始まって、エンクロージャーや産業革命に至る資本主義の形成過程、ギリシャの直接民主政より英仏の市民革命に至る議会制民主主義の確立過程、マグナカルタより人権宣言に至る人権意識の成立過程、古代ギリシャを始源とし、十九世紀に完成する近代ヨーロッパの学問芸術・科学技術の伝統等々を日本の近代市民社会建設の指標と仰いだこと。一方、明治以前において、中国の律令を中心とした法制、漢文学、仏教、儒教等々の中国文化が伝統的日本社会・文化の基層をなしていたこと。これら二つのことが、ヨーロッパ史や中国史の比重を大きくしたといえよう。その結果、これら資本主義の形成過程、議会制民主主義の確立過程、人権意識の成立過程、儒学の発展過程等に多くの頁が割かれている。

しかし、今日の世界、直接には、現代日本社会の複雑な進行は、十九世紀レヴェルで到達した原理だけでは理解できなくなっているのではなかろうか。ヨーロッパ史では、イギリス、フランスの市民革命やロシア革命にかなりのページ数を割いて詳説されるが、そこには、昭和二、三十年代の戦後民主主義の理想と社会主義化を含めた社会革命への展望がこめられており、当時は、それなりの役割を果たしたが、ソ連が解体し、議会制が形骸化している今日においては、再検討を要しよう。また資本主義、議会制民主主義、人権意識の歴史の本質については、政治学や経済学で考究すべきもので、その成立過程、歴史過程の理解に、環境問題、核問題、高齢社会・民族対立の問題等々、他の今日的課題を犠牲にしてまで縷説する必要があるのか疑問である。

またヨーロッパの文化・文明が、世界史叙述で多くの比重を占めるのは、現代の文化がそれらを主軸として成り立っているという認識に立つからであるが、ヨーロッパ文化――学問・芸術・科学・技術等――の形成には世界各地域の文化・文明が絡み合っていたことが無視されている。たとえばヨーロッパ文化の源流を辿ると古代におけるオリエント、中世におけるイラン・インド文化等を含むイスラム文化に至るのであり、技術文化だけを見ても、製紙法をはじめ、東洋の四大発明等々のそれに負う面が大きいのであって、ことさらにギリシャ以来のヨーロッパ文化の発展にのみ大きな比重を与える必要があるのかどうか疑問である。もし仮にそうする必然性があるにしても、その構成要素となったアジア・アフリカの文化と絡めて総合的に取り上げる必要があるのではなかろうか。

先史時代の扱いに例をとって見ても同じことがいえよう。新石器時代の食料生産経済は、もっぱら小麦、大麦といった地中海式農耕にのみ起源を求め、東アジアから南アジアの稲作農耕文化、ジャガイモ、トウモロコシ、といった新大陸農耕文化、オセアニアの根栽農耕文化など、今日我々の食生活の基本となっている他の植栽文化に触れることはない。これもヨーロッパ中心史観が生み出した見方である。

「世界史」は出版界以外では高校の学科の一つとして必修科目として全国の高校で講じられている。「世界史」は、日本独自の学科で、中国でもヨーロッパでもアメリカ合衆国でも、歴史教育は自国史中心で世界史はなく、外国史はあるにはあるが、多くは自国史の付随的な位置におかれている。その意味で日本の歴史教育は「世界史」という独自の学科があるだけに、理念的には世界の歴史教育でもっとも進んでいる国と言える。

しかし、その日本の「世界史」は、戦後(一九五一年)の学習指導要領に始まったばかりのもので、あるべき「世界史」とはなっていない。日本の「世界史」は、戦前の東洋史・西洋史の単なる折衷ないし、各地の歴史の寄せ集めになっている観が免れない。

ところで日本の「世界史」が、ヨーロッパ史に重きを置くもう一つの理由は、人類社会一般の普遍的な歩みをヨーロッパ史に見ようという意図がある。しかし農奴制・封建制から資本制への発展コースは、世界的に見れば、特殊なものであり、ヨーロッパ特有の発展コースである。その他の地域にはこのコースはそのまま妥当しない。非ヨーロッパ的な、社会発展のタイプとしては中国の社会・経済史を重く見るのであるが、これもまた他のアジア・アフリカ諸国の発展コースの典型とはいい得ない。

西欧を社会発展の一般コースとする、ヨーロッパ主体の単線的な発展史観は、十九世紀以来ヨーロッパで発達したものであるが、マルクスの唯物史観で極まった感があり、一九七〇年代まで大きな影響力をもった。その背景には、改めていうまでもなく、欧米の社会発展をどの社会も経験する現象であるという前提がある。しかし七〇年代の欧米社会の経験は、さまざまな社会の病理現象、経済成長の行き詰まり、環境問題等々、必ずしも社会発展のモデルとならないこと、したがって非欧米社会の発展の道は、独自にそれぞれの社会伝統を踏まえて模索せねばならないことが主張されるようになってきた。

マルクス主義の側でも、八〇年代に入っては、たとえば、フランクやアミンの従属理論のように複線的な見方が唱えられてきた。その従属理論によれば、資本主義は一方の極に低開発国、一方の極に先進工業国があって、両者は有機的に一体であり、中枢地域の経済発展と、これに従属する衛星地域の低開発が同時に進行するので、それぞれが単線的に発展することは否定された。またウオーラーステインは世界システム論を展開し、現代は単一の政治システムが欠如している「世界経済期」であり、中核諸国家と辺境地域、さらに両者の中間としての半辺境地域に分けられるとした。この観点に立てば、これから扱う東南アジア、ラテンアメリカ、アフリカ等は辺境ないし半辺境地域に相当し、これらの考え方はやはり欧米に力点を置く従来の西洋中心史観の衣替えにすぎないといえよう。

本書では、従来の西洋中心・北中心の単線的世界史に対し、複眼的な見方を培う一助にと南中心、南側に視点をおいた世界史を描いてみた。従来の北側、西欧中心の世界史から取り残された南の地域の歴史を扱う。ここでいう北とは、必ずしも地理的な北を意味せず、文明の先行地域を指し、中国を核とする東アジア文明、インドを核とする南アジア文明、イスラムを核とする西アジア文明も、北に含むものとする。具体的には、アフリカ、東南アジア、オセアニア、ラテンアメリカの四地域を扱う。

第1章　人類の誕生

世界の歴史は、人類の誕生から始まる。類人猿から進化して、人類が誕生したのは、氷河時代の末期、アフリカにおいてである。今からおよそ７００万年前から５００万年前のことと推定されている。

類人猿から別れた根本原因は、直立２足歩行。すなわち、直立して２本足で歩くということであった。人間とは直立２足歩行の動物だ。他の動物をさしおいて地球の支配者になったのは、頭が良かったからではない。他の動物と違って直立２足歩行をするようになったからである。頭脳の発達はその結果にすぎない。

人類と猿の共通の先祖は原始霊長類という。それに似たものがボルネオにいるが、リスのような姿をした樹上で暮らす草食獣だった。リスと違って、親指が他の指（まだ４本に分化していない）と向かい合い、木の実を掴むことが出来た。やがて高い所の果実を狙って背伸びしてとるようになり、５本指が分化し、前足が発達して腕になり、枝から枝に渡れるようになる。中には、地上に落ちた実を求めて樹にぶらさがりながら地上に降り立つ者も出て来た。地上に降り立ったのは、氷河期の気候変化で森林が縮小し、食物が減ったことや、他の生物との競り合いが激しくなったことなど、森で暮らすことが難しくなったからである。地上に降り立って直立して後脚２本だけで歩く種類が出て来た。これが人類の始まりである。

地上に降り立ち、直立で二足で歩行した結果として、両手を自由に使えるようになり、石器など道具の製作、使用が始まり、それによって脳が刺激されて発達して、重くなり、直立しないと体を支えられなくなる。脳が発達したことにより、火の使用、言葉の使用などが始まり、食料獲得の能率が高まる。その結果として、ますます頭脳が発達していき、類人猿と別の種、人類となった。チンパンジーなど類人猿も、道具の使用、火の使用、言葉の使用が、ある程度あるが、歩くときは手指の背面を地面につく。直立２足歩行のみは、人類特有の属性である。

５００万年前は地質時代としては、第三紀の末期で、地球の気候が寒冷化して、乾燥気候が訪れた時期である。アフリカの大地溝帯を境にして東部では、熱帯雨林が乾燥化して草原が広がっていき、樹上の生活から地上に降り立った類人猿がいた。直立２足歩行の開始である。人類の誕生である。

人類の進化は化石やＤＮＡの研究によって明らかにされてきた。母親から子孫に伝わるミトコンドリア、と父親から子孫に伝わるY染色体、それに細胞の核にあるゲノム（全遺伝情報）を使って研究がおこなわれている。これらの遺伝情報は、体の形づくりや体の働きの設計図であり、世代を越えて受け継がれるが、突然変異によって少しづつ変わっていく。これを進化という。

直立2足歩行後の人類は、猿人、原人、旧人へと進化し、20～15万年前には、いまの人類に直接つながる現生人類（ホモサピエンス）がアフリカ大陸に育った。今日の世界各地の人類は、そのみなもとを探れば、みなアフリカを出自している。かれらは、道具として石器や骨角器をつくり、これで狩猟採取を行い、肉食を始めた。それにより栄養状態がよくなり、脳が発達し、複雑な行動がとれるようになった。

その我々の祖先ホモサピエンス（現生人類）は、東アフリカから海岸沿いに世界各地に移住・拡散し、数10万年をかけてアフリカからユーラシア、アジア、オセアニア、そして南北アメリカへ移動して、それぞれの地に住み着いていった。

アフリカからの出口は、一つは東北のシナイ半島を経てレバント地方（地中海東部沿岸地方）にぬける北方ルートと、もう一つはエチオピアから東南の紅海入り口の海峡を渡って、アラビア半島を移動する南方ルートの二つだった。

現生人類が最初にアフリカを出たのは、10万年以上前で、北方ルートからだった。レバント地方のカフゼーとトスフールにホモサピエンスの化石がのこっている。この頃は、氷河時代といっても、まだ、それほど気温は下がっていなかったようで、サハラ砂漠からレバント地方にかけて水や緑があった。

しかし、最初の北方ルートからの出アフリカは永続しなかった。

寒期が到来し、サハラ砂漠からレバント地方にかけて、氷結して乾燥化し、人が往来出来なくなったからだ。この地から10万年前以降の遺跡が見つかっていない。

最初に現生人類が移動したレバント地方では、旧人のネアンデルタール人が住んでいたが、かれらに滅ぼされたか、かれらと混血したと思われる。現生人類はここでネアンデルタール人から寒冷な気候に適応するための遺伝子を受け継いだと言われる。これは、現生人類がアジアやヨーロッパへ拡散するうえで、大きな役割を果たした。

北方ルートに対し、南方ルートは、紅海の南端にある海峡（バブ・エル・マンデブ海峡）を渡ってアラビア半島南端からインドへ向かうルートだ。紅海南端の海峡は、氷河時代の寒冷期だったため、海峡の海面が今より低く、幅が狭かったので、浅瀬を渡って移動できた。人骨や遺物など、移動の証拠は海岸伝いの移動のため、海中に没して残っていないが、ミトコンドリアＤＮＡの解析によって南方からの出自が明らかにされた。南方ルートからは、約6万年前に、紅海南端の海峡からアラビア半島沿いに北上し、海面低下で陸地化していた、ホルムズ海峡を渡り、インドに到達したと考えられる。そこで人口は増加し、膨張していった。インド大陸からは、南方、北方、西方の3方向に拡張した。

このうち、南方には、4万年前に東南アジアからオーストラリアに到達している。出アフリカ後、いちばん早く移動したのがこのグループだ。オーストラリアやボルネオ島に4万5千年とされるホモサピエンスの遺跡がある。

当時、東南アジアでは海面が低下し、マレー半島、スマトラ島、ボルネオ島、ジャワ島が陸続きで、スンダランドといわれる大陸だった。人類はここを経由してオーストラリア、ニュージーランドに向かった。この人類のグループが、オーストラリアの原住民アボリジニ、ニューギニア先住民パプア人、メラネシア人などで、オーストラロイドとよばれる。人類の祖先、ホモサピエンスが最初に、移動し、広がった場所が、インド→東南アジア→

オーストラリアに至る地域であった。

一方、インド大陸から北方へ向かった集団は、４万年前には中央アジア、さらにシベリア南部に進出し、２万年前ごろまでには、シベリアのバイカル湖周辺に到達していた。シベリアではこれまでに２００近くの氷河期の遺跡が発見されている。バイカル湖付近の２万４千年前の集落遺跡からはマンモス、トナカイなどを狩猟した、石器や骨角器などが発見されている。シベリアにまで広がった現生人類は、さらに北上を続け、３万年前までにベーリンジア（ベーリング海峡、氷期は陸地）へ進出。ベーリングからアラスカへ１万５千年前までには到達した。そして、１万４千年から３千年前頃にアメリカ大陸を南下し、千年後には南北アメリカ大陸を縦断して、南米の先端パタゴニアに到達した。

日本などのある東アジアへの進出は、北京郊外周口店から４万年前のホモサピエンスの人骨が見つかっており、その頃までに北上してきたと思われる。また東アジアへはシベリアへ到達した人々が、一部、モンゴルから中国、朝鮮へと南下したと思われ、モンゴル・ロシア国境付近に４万１千年前の遺跡があり、そこで出土したと同様な細刃石器が中国や朝鮮半島で発見されている。

西方のヨーロッパや中東へ現生人類が入ったのは遅く、いまから5万年前で、それもインドを経由してであった。サハラからレバント地方は、10万年以上前の間氷期に一時的に温暖化し、シナイ半島の北方ルートから出アフリカが行われたこともあったが、9万年前に氷河期の短いが徹底的した氷結と乾燥化があり、永続しなかった。ヨーロッパへのホモサピエンスの移住の起源は南アジアで、そのことは、遺伝子の痕跡、系統から明らかになっている。南アジアからイラン、レバント、アナトリアを経由して東ヨーロッパへ、あるいはイランからコーカサスをへて東ヨーロッパの経路でヨーロッパに入ったと考えられる。

最後のホモサピエンスの移動は、中国南部に住んでいた農耕民族が台湾へ移住し、6〜5千年前に台湾を出て、3400年前にビスマルク諸島、メラネシアに移住し、ラピタ文化を発展させた。さらに3200年前にはポリネシアに移住した。

現生人類の大移動により地域によっては、大型動物が絶滅した。原始のオーストラリア・ニューギニアには、巨大なカンガルー、牛ぐらいの大きさの有袋類や肉食性の有袋類など大型の哺乳動物、体重が180キロほどのある飛べない鳥、1トンもある巨大なトカゲ、ニシキヘビ、陸生のワニなど大型の爬虫類などが棲んでいた。
また人類進出前のアメリカには、象、馬、ライオン、ラクダや地上性ナマケモノなど大型動物が群れをなして棲んでいた。しかし、いずれも初期人類の進出により姿を消してしまった。

いま地球上にいる、すべての人類の祖先はアフリカ人で黒い肌をしていた。メラニン色素が多いと黒い肌になり紫外線をブロックし、日焼けや火ぶくれを防ぐ。

また紫外線を浴びると皮膚でビタミンＤが合成される。骨の形成と成長を促進する。少ないとくる病や骨軟化症になる。しかし肌の黒い人が南から北へ移動すると、紫外線の少ない高緯度地方では皮膚が黒いと紫外線をブロックし、ビタミンＤができず、骨が形成されない。それでメラニン色素が少ない肌の白い人だけが紫外線を取り込むことができ、生き残れる確率が大きかった。

いま世界のすみずみに広がって住んでいる人類は、さまざまな肌色をもち、さまざまな文化のなかで生活しているが、肌の色をはじめ現在見られる人類の多様性は、アフリカを出た後の環境や歴史によってつくられた後天的なもので、ちがった種から派生したとか、能力の差とかが生んだものではない。人類のすべてが、もともとはアフリカに居て同じ体格、同じ知能をもった人たちが、祖先で、その子孫だ。

第2章　南への移動と定住

1　アフリカ

今日ヒトラー流の人種主義は影を潜めたが人種に知的道徳的に上下の差をつけようとする理論は依然として残っており、その最大の犠牲者は黒人である。黒人がどこで発生し、どのようにアフリカ大陸に広まったかについては、資料不足で未だ学問的には確定的な説はなく、謎に包まれているが、アフリカ黒人は、ナイル川伝いに、あるいはアフリカ東部から拡散していったことは事実としても、さらに飛躍して他の大陸から渡来したという事がよく説かれてきた。その際、発生地としてアジアが挙げられる。このような黒人の他大陸渡来説は、黒人自身古い時代の侵略者にすぎないというヨーロッパのアフリカ侵略を免罪化する理論につながっていくものであった。人類発生アジア説はミッシングリングとしての人骨がジャワや北京周口店で発見されたことから生まれたものであるが、それは、やはり古い人骨がアフリカで発見されていないという資料不足から生まれたものであって、その後のアフリカ人類学の発展は、アウストラロピテクス類の発見から始まって、人類進化の過程の全ての人骨とそれに対応する考古学的遺物が発見されており、今やむしろアフリカこそが人類の揺籃【ようらん】の地と言えば言えなくもない成果を生み出している。

　これらの中から、紀元前五〇〇〇年を遡る所の、黒人種の祖となる骨はまだ発見されていないが、現段階では黒人がアフリカ大陸で発生し、大陸全体に広がったと考えた方が自然であろうと思われる。

　アフリカの黒人種は大きく二つに分けられる。中央アフリカと西アフリカに住むニジェール・コンゴ語族、いわゆる真の黒人と西アフリカから東アフリカ、南アフリカに広がったバンツー語族とである。この他白色系ハム語族と混血したナイル川上流のナイル・サハラ語族という亜種もある。これらの黒人種は古くはサハラ地帯にまで広範囲に居住していたらしいが、サハラやアフリカ中央部の乾燥化により或いは白色系ハム語族に追われて南下したと思われる。この黒人種の大陸中心部からの移動は、比較的新しい時代にまで行われた。とくにバンツー語族は、現在のニジェールとカメルーンの国境付近からアフリカ各地に拡散した。ピグミー、ブッシュマンなどのネグリロ、コイサン人種を駆逐し、あるいは吸収しながらコンゴ盆地から南アフリカへ移住した。十七世紀ヨーロッパ移民がケープ地方に定住したとき、彼らはまだ大陸の南端に達していなかったらしい。

2　東南アジア

現生人類ホモサピエンスは、アフリカを出て、紅海、アラビア半島経由で4万年前にインド大陸に入った。そこから東南アジアやオーストラリアに移住したのがオーストラロイドとよばれる、東南アジアに到達した最初の人類である。かれらは、インド南部の海岸地帯から東南アジアのスリランカ・スンダ列島を経由しサフル大陸にまで到達している。サフル大陸とは、ニューギニア・オーストラリアを中心とした現在のオセアニア地域にあった大陸である。オーストラロイドは、しかし、その後、大陸から南下したオーストロアジア語族やオーストロネシア（マライポリネシア）語族に圧迫されて、東南アジアではネグリト人、ヴェッダ人など森林や山間の周縁部に点在する少数民族となってしまった。

東南アジアの民族移動はいくつかの流れとなって、山地から諸河川に沿って平野、平野から島嶼部へと行われた。先史時代にはオーストラロイドの、ネグリート、メラネシアがベトナム南部から島嶼部へ移動した。新石器時代以後はオーストロネシア（マライポリネシア）語族、オーストロアジア語族が到来し、モン族はビルマ南部へ、クメール族はカンボジアに居住した。最後の流れがチベット・ビルマ語族とタイ語族で、中国南部を起点に山地を南下し、大陸部に定住、十三世紀に移動を完了させた。

チベット・ビルマ語族移動の前衛はピュー族で、プロムを中心に三～四世紀、国を建てていたが、九世紀南詔に滅された。南下を続けるビルマ人はその後イラワジ河上流のチャウセー平野に定着し、パガンを拠点に王国をつくり、征服した先住民のモン人の文化を基礎としてビルマ文化を形成し、上座部仏教を取り入れた。

タイ語族は数世紀にわたって中国南部から緩慢な移動を続けてインドシナ半島には入りこみ、クメール、モン、ビルマ人の間に雑居していたが、十三世紀になって動きが活発化した。それは二つの大事件に触発された形で興っている。一つはモンゴル勢力による雲南征服、それに続くベトナム、ビルマ侵入、これによりタイ族の西と南への流れが促進され、ビルマ、ラオスなどに幾つかの小王国が形成された。一つはジャヤヴァルマン七世の死によるクメール（アンコール）帝国の衰亡である。これによりタイ族は帝国を蚕食しながら、メナム河流域を南下し、上流のチェンマイを中心にランナータイ王国、中流域のスコータイ、ついで下流域のアユタヤを中心に同名の王朝を建てた。タイ族は、スコータイ朝のラーマカムヘン王のときタイ文字を作成しセイロン大寺派系の上座部仏教を取り入れた。

この十三世紀の民族移動は一面では、山地民が平原に下り平地民化することを意味し、水田稲作がそれに伴い広がったであろうことが予想される。また、少数民族が統合されて大部族化し、平原に新興の民族国家の形成を見る。

3 オセアニア

オセアニア（OCEANIA＝大洋州）は四つの地域に区分されてきた。オーストラリア、メラネシア、ミクロネシア、ポリネシアがそれである。

オーストラリアはオーストラリア大陸とその近くの島タスマニアなどを含む地域、メラネシアはオーストラリア大陸の西北から東南に沿ってつらなる島々、すなわちニューギニア島から始まり、その北から東に連なるビスマルク諸島、ソロモン諸島、そしてニューヘブリデス諸島、ニューカレドニア島を経てフィジー諸島に至る列島からなっている。

ポリネシアはハワイ諸島、イースター島、ニュージーランドを頂点する三角形に囲まれた地域で、サモア、トンガ、タヒチなど多くの諸島や島がある。

ミクロネシアは赤道をはさんでメラネシアの北の太平洋にある島々で、カロリン諸島、マリアナ諸島、マーシャル諸島、ギルバート諸島からなり、マリアナ諸島は日本の小笠原諸島に接する。

オーストラリアという名はギリシャ時代から存在すると考えられた伝説上の知られざる南の大陸テラ・アウストラリス（南の大陸）に由来する。

メラネシアという地域名はギリシャ語の黒いからきている。黒い皮膚の住民が多いので、そう名づけられた。黒色系はオーストラロイド語族の住民がそれに該当する。しかし、かれらは後続のオーストロネシア語族と混皿しているので、実際は褐色から黒色までさまざまである。

なおポリネシアはギリシャ語で多くの島々、ミクロネシアは小さい島々という意味であり、これらの地域名はいずれも、オセアニアに植民した西洋人が慣用的に使ってきたものである。

オセアニアの原住民は何度かにわたる民族移動によって形成された。最古の民族移動はオーストラロイドである。氷河時代の洪積世末期、第四氷期に、かれらはアジア大陸から移動してきた。現オーストラリア大陸の原住民アボリジニーは、その子孫である。一八七六年に絶滅したタスマニア人もその同類である。氷河期には、浅い海が陸地になってしまう海退作用が起こるが、それによってニューギニアやタスマニア島はオーストラリア大陸とつながったし、スマトラ、ジャワ、ボルネオなどもアジア大陸と陸続きであったので、陸橋を辿って移動することが容易であった。オーストラロイドの身体は一般に皮膚の色が暗褐色ないし黒色で、毛髪は縮毛である。オーストラリア大陸だけでなく、メラネシアにも広がった。

彼らは狩猟採集民で旧石器文化の担い手であったが農耕は知らなかった。また海の生活を知らず、陸の生活に適応した人類であった。メラネシアのオーストラロイド語族は、言語の上では、パプア語系と総称されている。人種的には後に移住してきたオーストロネシア語族（マライポリネシア語族）と混血しており、また島ごとに長期間、孤立していたため、身体の特徴には地域差がある。大体、ニューギニアの住民が、暗褐色の皮膚、中身長で鉤鼻（わし鼻）、体毛の多いのに対し、他のメネラシアの住民は黒い皮膚、身長高く、広い鼻で縮れ毛が多い。またニューギニアの内陸の山間部にはパプアン・ピグミーと呼ばれる低い身長の人々が住んでいる。

これらオーストラロイドのパプア人とメネラシア人は現在、タロイモ、ヤムイモなどのいも類とバナナ、パンノキ、ココヤシなどを栽培する農耕民である。かれらは元来旧石器文化の狩猟採集民であり、魚や貝を獲り、木の実を採集する生活であったが、後に大陸から移動してきたオーストロネシア語族の影響を受けてタロイモやヤムイモを栽培する根栽農耕に移行したものである。

オーストロネシア語族は一般にはマライポリネシア系と呼ばれている。人種的にはモンゴロイドで、長身で、明るい褐色の皮膚をし、頭髪は波状毛で縮毛は少ない。現在、ポリネシアの主要作物はヤムイモ、タロイモ、バナナ、パンノキなどである。また伝統的な家畜は豚、鶏、犬である。これら根菜文化は、現段階では、東南アジアの熱帯降雨林起源説が有力であるので、オーストロネシア語族が東南アジアから移動してきたことは明白である。

ポリネシア人の起源については戦後有名になったハイエルダールの南米起源説がある。その根拠として、この海域では、航海に必要な貿易風が西から東でなく、東から西へと吹いていていること。イースター島の巨石像やタヒチ島などの石造りの宮殿が前インカ期のペルー文化に似ていること、ポリネシアで広く栽培されているサツマイモは南米起源であることをあげ、それを実証するために自作の丸太を組み合わせたコンティキ号に乗ってペルー海岸を船出し、ポリネシアのツアモツ諸島にたどり着いた。

しかし、南米起源説は現在では支持者が少なく、東南アジア起源説が大勢を占める。それはポリネシアの住民は言語系統が東南アジア島嶼部のマライポリネシア（オーストロネシア）語族に属すること。その他、農耕文化、道具、住居などの生活様式等々、両地域の文化面におけるつながりは否定できず、ラテンアメリカとは文化要素が一致しない。サツマイモについてはポリネシア人の中で南米に漂着し、持ち帰った者があったろうとされている。また貿易風については、赤道付近の無風帯を除いて、北東から南西へ、南西から北東に吹く風があり、北半球では時計回り、南半球では反時計回りの海流とともに、両者を組み合わせて利用すれば往復の遠洋航海が可能なことが判明している。したがってオーストロネシア語族のポリネシア人が東南アジアから島づたいに移動してきたことがほぼ定説となっている。さらに源流をたどると、南中国の海岸説が一般的となっている。

この南中国の海岸地方にいたオーストロネシア語族が、北からの圧迫を受けて移動を開始したのは、紀元前三〇〇〇年頃で、すでに海洋文化を身につけ、根栽農耕文化を持って太平洋の島々に乗り出していった。彼らは、はじめフィリピン諸島に入り、そこから三派に分かれて移動した。一つの集団はインドネシア方面に、また別の一団はメラネシアへ、さらに他の一団はミクロネシア方面へ移動した。メラネシアへ入った集団は、ニューギニア島の海岸部を通って、メラネシアの島々を経て、ニューヘブリデス諸島へ到達した。これらの島々には先住民のオーストラロイド語族がおり混血したことは言うまでもない。ミクロネシアに入った集団はカロリン諸島からマリアナ諸島、マーシャル諸島、ギルバート諸島へと移住し、メラネシアのニューヘブリデス諸島へ到達し、メラネシアへ入った集団と合流する。だいたい紀元前一五〇〇年頃のことと推定されている。ただしミクロネシアへの移動については、むしろ逆にメラネシアからミクロネシアに入ったという説もあり、はっきりしない。言語上はマリアナ諸島やカロリン諸島西部など西ミクロネシアはインドネシア語など西オーストロネシア語族に近く、中・東部カロリン諸島とマーシャル諸島及びギルバート諸島など東ミクロネシアはメラネシアやポリネシア語など東オーストロネシア語族に属している。どちらにしてもニューヘブリデス諸島が移動の結節点になっている。

ニューヘブリデス諸島を起点としてポリネシアへの移動が始まるが、その移動と年代は考古学と言語学の研究から推定されている。紀元前一五〇〇年頃ニューヘブリデス諸島からフィジー諸島へ、そこからトンガ諸島への移住が行われた。トンガ諸島への植民は紀元前一三〇〇年頃である。ポリネシアへの初めての人類の移住であった。

南中国からここまでの移住はだいたい島伝いに比較的容易に出来たが、ここからは島と島の間は長いところで五〇〇〇㎞にも及び、遠洋航海の技術を必要とした。最初の移住者のオーストロネシア語族は遠洋航海に耐えうる二隻のカヌーを結合してつくった双胴船に乗り、羅針盤はなかったが、星座、海流、風向、渡り鳥などの海洋知識を駆使してポリネシアの島々に植民していった。トンガ諸島からサモア諸島へは紀元前一〇〇〇年頃、ついでサモア諸島からマルケサス（マーケサズ）諸島への移住は紀元後三〇〇年頃行われたと推定されている。地理的にはクック諸島やソサエティ諸島の方が近い。しかし遺跡が発見されていないので、現在までのところ、東ポリネシア最古の遺跡が発見されているマルケサス諸島が同地域最初の人類移住である。その後のポリネシアの民族移動はここを起点としてハワイ島、イースター島、ニュージーランドへ行われた。言わば、ここが東ポリネシアの移動の三頂点であった。マルサケス諸島からの最初の植民はイースター島で紀元後四〇〇年から五〇〇年頃と考えられている。ついでハワイ諸島は同じ頃か数百年ほど後か、学者の意見が対立している。ポリネシアの最南端にあるニュージランドへは居住開始は紀元八〇〇年頃とみる意見が多い。ニュージーランドは、オーストロネシア語族が発見した唯一の温帯圏の大きな島で、この移住をもってオーストロネシア語族のポリネシア移住は終了する。

4　ラテンアメリカ

アメリカ大陸の原住民はアジア大陸から渡来したものである。コロンブスはアメリカをインディアスと名づけた。当時スペインでは、今のインドだけでなくインドシナ、中国、日本などを含めてインディアスと呼んでいたから、それはアジア一般を指す言葉であった。したがってアメリカ大陸の原住民をインディオと呼んだのは、必ずしも誤りではなかった。ただしインディオの祖先の渡米は氷河時代に遡ること二、三万年前のことである。それ以前にアメリカ大陸に人類が住んでいた形跡はない。いまだに猿人、原人、旧人いずれも発見されていないからである。したがって、アメリカ大陸は、アジアから渡米したインディオ祖先たちにとっては、まさに新大陸であった。

もしそうであるならば、次に問題になるのはインディオの祖先たちは、アジア大陸の文化を引き継いできたであろうかということである。これについては今のところ否定的な答えしか出てこない。具体的にはアジアの諸種族と密接な関係があるが、しかし言語の上では旧大陸の諸種族と何ら関連性を持たない。考古学の資料もまだ充分には揃っていないが、旧石器の形式にしても新大陸独特のユニークなものである。とくに飛び道具用の尖頭石器などはそうである。

ベーリング海峡は、最新世末期の氷河期には何度も氷河の前進と後退があり、そこが陸橋となった時期に渡ってきたのである。それも直線的に移住していたのではなく数万年にわたる長期間に、断続的にやってきたのであり、後続が断たれることもあった。かれら狩猟民は、アメリカ大陸に入った後もアラスカのツンドラ地帯に阻まれて、吹きだまりのように集まっては、気候の温暖化するのを待って徐々に南下したのであった。したがって北アメリカの太平原や盆地に到着した頃には、新大陸の自然にすっかり適応し、その環境にすっかりマッチしたアメリカ固有の旧石器文化をつくりあげていった。この原始の旧石器文化は、北アメリカの北半と南アメリカの東南半では、狩猟採集民族の文化として十六世紀にヨーロッパ人がアメリカ大陸に侵入するまで続いた。

第３章　農耕のはじまり

1　アフリカ

アフリカの新石器時代は、約六〇〇〇年前に、ナイル川流域で始まり、サハラに及び、農業と飼牛の知識は、しだいに広がっていったが、不幸なことに、緑あふれ、畜牛豊かであったサハラが前二〇〇〇年頃より急速に乾燥化が始まり、河川が枯れ始め、農耕民はしだいに南へ移住せねばならなくなった。乾燥した石の多い不毛の砂漠の出現は、サハラの岩絵に残っているように緑のサハラで運搬機関として用いられていた馬や荷車にとって代わって、駱駝が約二〇〇〇年前から普及するようになった。サハラの乾燥化は地中海地域の北アフリカと中央アフリカを分断する役割を果した。こうして始まった黒人諸族の南方移動は、結果として新石器文化を南方の大陸中心部へ徐々に拡げる役割を果した。

新石器文化に伴う栽培植物の伝播は、これらオリエント・ルートを主とするが、この他、東アフリカ経由でマライ・ポリネシアの東南アジア海洋民族が、ヤマイモ、タロイモ、バナナの如き塊茎植物、果樹をもたらしている。しかしながら、黒人外来説と同じようにアフリカの食料生産経済が、このように全て外部から持ち込まれたと強調すべきではない。

シコクビエ、ササゲ、ゴマ、ヒョウタンなどの栽培植物は、アフリカ独自のものであり、サバンナ農耕文化としてオリエント農耕文化とは独立に、紀元前三〇〇〇年に西アフリカのニジェル川流域で発生し、耕作に犂（畜力）を利用せず手鍬を用いる農耕文化として、バンツー語族の移動とともにコンゴ盆地に広がり、紀元前三世紀までに南部のサバンナ帯に達し、エチオピアを経由し、インドへも波及した。ただしサハラ以南のアフリカの食料生産革命は緩慢にしか進行せず、生産経済への移行は、鉄器文化の普及と重なる。農耕にとって不利な条件(地味貧しく、高温多雨による土壌浸蝕の激しいこと、犂【からすき】の不在等々)がある一方、採取経済にとって恵まれた条件を持つアフリカでは、人々は自然に甘んじ、農耕はなかなか普及しなかったことにも注意したい。

2　東南アジア

東南アジアの農耕文化は三段階をたどる。

まず農耕に入る前段階として、採集・半栽培の段階がある。植物の採集・半栽培がこれまでの狩猟・漁撈の生活と平行して行われた時代である。東南アジアは、澱粉を含んでいる野生の植物に恵まれた所であり、これらの根・茎や種子・果実を採集し、あるいは半栽培（人家や人里付近で何らかの保護・管理の中で自然繁殖させる）して食料とした。根茎類としては、クズ・ワラビ・ヒガンバナなどの根、野生のイモ類、堅果類としては、クリ・シイ・ドングリ・トチなどである。これら食物の澱粉抽出・食用化の技術として、加熱処理と水さらしによるアクぬきが開発され、採集・半栽培の技術と併せて、これらの技術の発展が次の焼畑農耕への移行を促した。

東南アジアの初期農耕は焼畑農耕の形態をとった。焼畑農業は現在でも大陸部の山間部で、少数民族により生業として営まれているが、この栽培作物はトウモロコシ、サツマイモ、ケシなど新大陸起源や近世以降のもので、本来のものとは異なっている。焼畑による最初の栽培作物はタロイモ、ヤマイモなどの根栽作物であった。栽培化された場所は大陸部の熱帯モンスーン林地帯であったが、この後さらにこれより南の地域でバナナが栽培化され、ココヤシ、サトウキビなどとも結びついて根栽作物の複合体を形成して島嶼部へ広がっていった。しかし、大陸部北方の東亜半月孤、いわゆる照葉樹林地帯ではイモ類は主作物とはならず、インド方面から伝播したアワやキビ、シコクビエ、モロコシなどの雑穀類や大豆、小豆などの豆類の栽培と組み合わせて根栽・雑穀の複合体を形成した。日本における稲作以前の焼畑農耕もこの段階のものである。これら焼畑農耕で栽培された雑穀の一種としてイネがあり、やがてこれが独立して陸稲として栽培され、焼畑農耕の主役となる。今日、山地の焼畑民が栽培する作物の中で陸稲の占める比重は極めて大きいが、このとき以来変わっていない。

農耕文化の最後の段階は水田稲作である。イネは、湿地でも畑地でも栽培できる便利な雑穀の一つとして雑穀の複合体から生まれた作物である。はじめは雑穀の中で混作され、焼畑の一部の常畑化とともに、集中的に単作されるようになり、最後に水路や堰を設けて整備された水田稲作へと変化する。安定した収穫への魅力と調理上の便利さが焼畑から水田への転換を生み、人口の増加に伴う伐採地の減少もこれに拍車をかける。しかし、大河川のデルタ地帯に今日見るような大水田は、十八世紀以後開発されたもので、これ以前の水田稲作の中心は大河川の上中流の河谷平野や小盆地であった。ここでふれた焼畑農耕は、九州、四国など西日本の山地で行なわれてきたものであり、武蔵の「さし」や「さす」のつく地名が焼畑起源であること、ソバ、アズキ、ダイズ、サトイモ、などはここで栽培されてきたものであること、また、茶、絹、酒、ミソ、モチ、ウルシ、コンニャク、ナレズシなどの衣・食慣行は焼畑の根栽・雑穀農耕の中から生まれたものであることなどを想起したい。

3　オセアニア

オセアニアの人々は狩猟、漁労、根栽農耕が主な生業であった。道具は石器が中心で一部、土器は用いたが金属器はなかった。また文字は持たず、口承で記録を伝えた。初めの移住者オーストラロイド語族は打製石器を使用し、動植物の狩猟採集だけにより生活していた。平均三十人ほどの小集団をなし、獲物を求めて放浪する生活であり、漁労や農耕は行なわず、海の生活と縁のない陸の民であった。現在のオーストラリア原住民やニューギニア高地民などはこのオーストラロイドの直接の子孫である。

これに対し、第二次の移住者オーストロネシア語族は、根栽農耕で植物を栽培し、家畜を飼育し、漁労も行なった。道具は掘り棒と磨製石斧を用いるだけの新石器文化の段階にとどまった。土器としては歯状文様を刻印してあるラピータ式土器があり、西メラネシアから西ポリネシアにかけて発見されている。

かれらはヤムイモ、タロイモ、パンノキ、バナナ、サゴヤシ、ココヤシなどの熱帯性植物を栽培した。これらは種子蒔きして栽培するのではなく、根分け、株分け、さし木などでふやしていく根菜作物で、唯一の道具は掘り棒であった。家畜としては、イヌ、ブタ、ニワトリの三種類だけで、これらは根栽農耕に伴う家畜である。

オーストロネシア語族は東南アジア農耕文化を担って南へ移動したが、米は随伴しなかった。米は湿気のある熱帯特有の気候に適応せず、さらに鉄器がなかったので森林を伐採して水田耕作をすることは困難のため、結局、移動の過程で消滅したか、あるいは米作がまだ普及する前に、アジアを出発してしまったかのいずれかであろう。しかし根栽農耕は東南アジアの熱帯降雨林が起源であり、また石斧の形式や居住用の母屋と炊事小屋を別にする居住様式、樹皮布の製作技術なども東南アジアのものと共通である。さらに土器の文様も東南アジア的で、土器製作技術もそこからもたらされたものであろう。

オーストロネシア語族は南中国や東南アジアを離れる際、すでに海洋民としての資質を備えていたとみえ、石斧で精巧な船をつくって太平洋を渡って来た。航海につかった船はダブルカヌー（双胴船）と呼ばれ、二隻のカヌーを並べて板を張り甲板としたもので、安定性にすぐれており遠洋航海に適した船であった。甲板の上には小屋をつくり人間のほかに家畜を乗せることができたので、移住先の島で新しい生活を始めるのに十分であった。

かれらは村をつくって定住したが、集団の規模は小さく、数百人あるいはそれ以下の共同体をなして生活していた。ポリネシアやミクロネシアでは身分的階層組織が発達したが、メラネシアでは村を越えた政治体は形成されず、身分制や階級は形成されなかった。精神世界では、万物に宿る超自然力としてマナの観念があり、その獲得をめざして首狩りや食人の風習が見られる所もあった。ポリネシアではマナの観念と並んで、タブーの観念が発達し、それが身分制の一つの土台となった。

4　ラテンアメリカ

アメリカの原始の狩猟文化に見られる個性は農耕文化についても濃厚に表れていた。農耕の成立過程、作物や農耕の体系が旧大陸のそれとは全く異なる独特なものであった。後氷期の気候の温暖化と乾燥化を契機として植物栽培が始まる。もっとも古い農耕遺跡はメキシコ北東部でタマウリパスと中央部のプエブラ州テワカンで、いずれも高原半砂漠地帯の洞窟遺跡である。乾燥気候の砂漠の中で、小動物の狩猟や採集植物の徹底的利用が図られ、紀元前七〇〇〇年頃にはトウガラシやカボチャが栽培された。石臼、石皿を用いて、植物をすりつぶしたり、草を編んでマットをつくり、籠を容器として使った。紀元前三〇〇〇年頃には、カボチャは品種改良されて、種類が多くなり、豆類の栽培も始まった。原始的なトウモロコシも現れる。この農耕文化は砂漠型文化といわれており、狩猟民が徐々に農耕民に変化したもので、メキシコと中央アメリカの一部、いわゆるメソアメリカの農耕の基礎となった。

第二の型は中央アンデス地方ペルー海岸に見られるもので、採集漁撈民文化の末期に植物栽培が始まる。年代はメソアメリカよりも新しく、紀元前二五〇〇年頃である。ほとんど海岸に分布しているが、代表的な遺跡は、ワカープリエタである。魚、貝など魚貝類をとるとともにカボチャ、豆、ヒョウタンを栽培していた。綿も栽培され、木綿の布や網が樹皮布と並んで使用された。この遺跡は紀元前二五〇〇年前から一二〇〇年の長い期間にわたって利用されたゴミ捨て場と住居跡で、最後の時代にはトウモロコシと土器が現れる。海岸地方の農耕化と平行して高原でも同じ変化が見られ、アンデス特有のジャガイモが栽培された。また注目すべきは、リャマ、アルパカ、モルモットなどが家畜化されたことである。

第三の型はアマゾン低地を中心とした熱帯雨林地帯の農耕で、マニオクなどの根菜が栽培された。おそくも紀元前一〇〇〇年頃には始まったと考えられる。

こうして形成されたアメリカ大陸の農耕文化は旧大陸のヨーロッパやオリエントのそれと比べると、かなり異質である。耕作法としては主穀のトウモロコシやジャガイモ栽培は掘り棒や足踏み鋤と石斧など簡単な農具だけで、マヤではミルパと呼ばれる焼畑農耕が行われ、メキシコでは、チナンパと呼ばれる浮き島式の畑がつくられ、アンデス、ペルーでは、ひな段耕作と灌漑を組み合わせて耕作を行った。

とくに注目すべきは家畜飼育が未発達であったことである。牛、馬、羊、豚などの家畜は知られなかった。わずかにアンデス高地でリャマ、アルパカなどラクダ科の動物を飼育したにすぎない。その他犬、七面鳥、モルモット、ある種のアヒルが家畜化されただけである。オリエントやヨーロッパのように農耕が牧畜と一体となった形は生まれなかった。

また新大陸の農耕は、作物の種類が独特で旧大陸にないものばかりである。ジャガイモ、サツマイモ、インゲンマメ、ピーナッツ、カボチャ、トウガラシ、トマト、カカオ、バニラ、マニオク（キャッサバ）、果物としてアボカド、パパイヤ、パイナップル、食べもの以外ではタバコ、チクルがある。

栽培農耕の型からすれば、新大陸の農耕はオリエントの地中海農耕とはまったく関係がなく、東南アジア・太平洋の根栽農耕文化やアフリカのサバンナ農耕文化のタイプに対応する。アジアの熱帯降雨林での根栽農耕に相当するものは、南米の北部カリブ海に発達した根菜でマニオク（キャッサバ）が中心であり、果実類としては、パイナップルがある。焼畑農法をとることも東南アジアと同じである。第二の根菜はさつまいもで、メキシコの温暖な高原に起源する。新大陸特有の根菜はアンデスの四〇〇〇メートルの高山で発達したジャガイモである。日中と夜間の温度差が激しい過酷な気候の中で改良が重ねられ、現在見られるような四倍体となった。そして、これがティアワナコやインカ文明の栄える基となっただけでなく世界各地に伝播し、多くの人を飢饉から救った。

新大陸の主たる穀物はトウモロコシであるが、その栽培植物の組み合わせの点で、アフリカのサバンナ農耕と似ている。少なくとも紀元前一〇〇〇年頃にはトウモロコシとインゲンマメとカボチャの組み合わせによる農耕がメキシコ高原で始まった。穀類、マメ類、果菜類の結合による点でサバンナ農耕と同じである。この三者は同一の畑に植えられ、トウモロコシは草丈が高く、その茎にインゲンマメがからみついて支柱の役を果し、豆の根はバクテリア根瘤菌をつけて肥料となる。カボチャは地表をおおいながら成長する。その他、果菜類としてはトマトやトウガラシがあり、後者はピーマンからタカノツメまでさまざまな変異を生みだしている。このトウモロコシ文化がマヤ、アステカ文明の基となったことは、いうまでもない。

以上のアメリカ大陸原産の作物は、コロンブス以後、ヨーロッパを始め、世界各地にもたらされ。人類の食生活を豊かにした。ヨーロッパ人はインディオを迫害し、その文化を破壊したが、それに対する見返りは、この豊かな食文化であり、仇を恩で返したわけである。若者の好む食物にインディオが開発したものが数多くあり、たとえばピーナッツやポテトチップ、さらにはバレンタインデーのチョコがそうである。製法はともあれ、少なくとも原料の栽培植物はインディオが長年かかって開発したものであることに注意したい。

第４章　南の輝ける王国時代

1　アフリカ

アフリカの鉄器文化は、ナイル川上流のクシュに始まる。アフリカへの鉄器技術伝播のルートとしては、他にアフリカ西海岸マグレブ経由のフェニキア人ルート、東アフリカ沿岸経由のエチオピア人ルートがあるが、最も重要なのは、クシュ人のルートである。クシュの国はエジプトではヌビアとして知られ、紀元前一五〇〇年に起った。紀元前六世紀の初め、エジプトに侵略され、都をナパタからメロエに移してから鉄鉱石と木の燃料を利用し、鉄製武器や道具の製造に着手した。今日でもその鉄滓の堆積の威容は古代アフリカのバーミンガムと言わしめている。これらの技術が伝播して、サハラ以南のアフリカ人が鉄器を使用しだしたのは、ナイジェリアのノク文化において紀元前二世紀か三世紀、南アフリカのザンベジ川流域では、紀元一世紀の頃であろうと推定される。この伝播はバンツー語族の拡大、移住によるもので、この結果アフリカ大陸の主要地域は八〇〇年頃までに鉄器文化の段階に入った。従って、これまでアフリカ分割史の導入として用いられてきた言葉——アフリカは十九世紀の植民地化の時代まで、石器時代の段階にとどまっていた——

というのは、全くの俗説で、ヨーロッパ史観にほかならない。

ヨーロッパ侵入以前のアフリカの文明の中心は、大きくマグレブ、エジプト、エチオピア、西スーダン、東アフリカ、南アフリカ、コンゴ、ギニア等々がある。この内前三者は、アラブ人とベルベル人の住む北アフリカ圏に入り、エジプトを始め地中海文化圏の一環を担ってヨーロッパと密接に結びついており、古代におけるオリエント史、ローマ史、中世におけるイスラム・アラブ史に含ませてこれまで扱われてきたが、このような文化圏設定については異論もある。エジプトやマグレブを地中海やイスラム文化圏に含めるのは、北アフリカを中近東として扱う帝国主義的発想に由来するという。これらの地域はアフリカの一部としてアフリカ史の中で扱うべきだというのが、その論拠である。しかしエジプト人やベルベル人をハム系の白人としてヨーロッパ人はその歴史をアフリカ史とは別格に扱ってきた背景があり、さらに弱者の世界史の側面に注目するならば、アフリカ史はやはりサハラ以南のブラックアフリカの歴史に力点を置くべきであり、エジプト史などは地中海、イスラム史の一環として扱うことでよいと思う。

ブラックアフリカの古代文明としては、ガーナ、マリ、ガオ（ソンガイ）の三黒人帝国を中心とした西スーダンとキルワ、ザンジバル、マリンディなどの貿易都市を持つ東アフリカとが挙げられよう。この他ジンバブエのモノマタバ王国、中央スーダンのボルヌー、カネム、ハウサ諸王国、ギニア海岸からコンゴ流域にかけての、オヨ、ベニン、ダホメ、アシャンンティ、コンゴなどの王国、コンゴの東、中央アフリカのルバ、ルンダ、クバなどの諸王国がヨーロッパ到来以前のアフリカ人の王国として独自の輝かしい歴史を持っている。

世界史的関連性をいえば、この時代マグレブよりベルベル人を担い手として、イスラム教が西スーダンの諸王国に伝わり、黒アフリカのイスラム化が始まったこと、東アフリカ沿岸諸都市を拠点として中国・インドとの貿易が盛んに行われ、インド洋交易圏の一角を形成したことによりアフリカ大陸が、西アジア文化圏、東南アジア文化圏と深いつながりを持ったことを、まず挙げておかなければならない。

この二大文化圏との交流は、その基幹にあるものは物質的には、アフリカの黄金をめぐる交易であった。とくにサハラ南辺の西スーダン諸王国の発展とそのイスラム化は、黄金貿易を媒介としていた。サハラ砂漠は北アフリカとブラックアフリカの交流を妨げる一大自然障壁であったが、まったくの断絶ではなく、駱駝を使って砂漠を縦横に移動する交易路が網の目のように張り回され、終着点のサハラ南縁のサバンナ地帯には、トンブクトゥ、ガオ、ジェンネーなどの交易都市が繁栄していた。そこでは南のギニアの森林地帯からの黄金や奴隷、サハラ産の岩塩、その他北アフリカ、ヨーロッパ産の商品が取引された。ベルベル人のイスラム教徒が西アフリカへ向かった当初の目的は、黄金と奴隷を買い入れることであった。彼らは、これら都市で代理人あるいは買付人として居住し、やがて原住民にイスラム教への同化を求めるようになった。

十一世紀のアルベクリの北アフリカ誌によると西スーダンに四世紀頃から十一世紀まで君臨したガーナ帝国では、首都には、イスラム教徒の町と王の居住する異教徒の町に分かれ共存していたという。このガーナは、一〇七六年から七七年にかけてベルベル人のアルモラヴィッド王朝の聖戦の対象となり、征服され、王朝ぐるみイスラムに入信させられた。これを契機にガーナ属下の多くの君主がイスラム教に改宗し、スーダンのイスラム化の一大契機をつくった。

ガーナ崩壊の後に十三世紀興ったのが、マンデイゴ族のマリ帝国で、十四世紀の皇帝マンサ・ムーサは、メッカ巡礼の途次、壮麗な行列と惜しげもなく人々に分け与えた黄金の贈り物とで、後々までカイロ市民の語り草となったという。マリ帝国の最盛期の模様は、イブン・バットゥータの三大陸周遊記に詳しく、往時のアフリカ文明を知ることができる。

十五世紀にこのマリ帝国に代わったのが、従属民のソンガイ族の帝国で、とくにモハメッド・アスキスは一四九三年聖戦を行い、首都ガオで権力を継承し西スーダンの大部分を版図にした。交易都市としてのみならず学芸の都としてトンブクトゥが栄えたのはこの時で、イスラム学問の中心として多くの学徒を集めた。黄金スーダンの名声は一五九〇年に火縄銃と大砲で武装したモロッコ軍の侵略をよび起し、これを契機に西スーダンは動乱時代に入った。

一方西スーダンが黄金のために地中海やヨーロッパで名を高めたと同様に、東南アフリカ海岸はその黄金のために東洋諸国の間で有名になった。西アフリカは際立った断崖と強い南風が航海術が発達するまで地中海民族をして大西洋岸からの上陸を不可能にせしめ、サハラ経由の交易路しか発達させなかったが、インド洋に面する東アフリカ海岸は季節風に乗って南下してくる帆船で賑わい、ペルシア湾沿岸諸国やアラビアに始まり、インドや中国にまで及ぶ交易が行われ、モンバサ、マリンディ、ザンジバル、モガディィンュなどの貿易都市が相並んだ。とくにキルワはイブン・バッータにより世界で最も美しく最も立派に建築された都市の一つとして称賛を受けた。

これらの港にはペルシアの焼物、ビルマやタイの宝石、宋から明にかけての陶磁器等が将来され、見返りにアフリカの象牙、黄金、奴隷などが送られた。内陸の諸部族に需要の多かったのは、インド産の綿布であり、輸出品では象牙が多かったが圧倒的に人気のあったのは黄金であった。来航する商人の多くはアラブ人であり、その他西アジアからイスラムの宗派争いに敗れた亡命者等が来往定着し、彼らを通して八世紀からイスラム教がこの地にも広がり、また、土着のバントゥー語にアラビア語が部分的に摂取され現在この地の公用語たるスワヒリ語が形成された。中国人も古くから関係していたと思われるが、明の鄭和の遠征以外あまり記録に遺されていない。

西スーダンにしろ、東アフリカにしろ、ブラックアフリカはこのような遠隔地貿易を通じて社会の分化が進み、交易路を支配する部族を中心に権力集中がなされ、イスラム商人との結合の上に交易路の支配と王室の黄金独占が王国成立の基盤となった。

アフリカの王国は、部族連合から統一帝国までさまざまな段階があるが、その多くは原始王政であった。アフリカの原始王権は、他の高文化の影響をあまり受けることなく、比較的純粋な形で遺され、神なる王の観念から、衰弱した王の強制死、王の地上歩行禁止など王をめぐる様々な儀式やタブーがある。最近のアフリカに関する社会人類学の発展にはめざましいものがあり、それらを利用して、アフリカ王権の実態を知ることができ、世界史における王権一般やその本質を理解するのに役立つだろう

2　東南アジア

〔海のシルクロード〕

北のギリシア・ローマ、インドや中国に文明がおこり、草原の道、シルクロード、陸の道が栄え、交易が行われるのに平行して、南では、地中海から紅海やペルシア湾をへて、アラビア海を渡ってインドに達し、インドから東南アジアを経由して中国にいたる航海路。

海の道が開かれた。

アラビア海・インド洋などでは、規則的な風が吹き、モンスーン（季節風）と言われ、冬は南西に、夏は北東にむかって起こる。これを利用して海の道が開かれ、西方からはワインやオリーブ油、ガラス製品などが、東方からは香辛料や象牙、絹製品などが取引された。

海の道は、6～7世紀頃までは、インド東岸からベンガル湾の沿岸に沿って進み、途中で上陸してマレー半島の地峡を横断し、メコン河口をへて南シナ海に出るというルートが、東南アジアではとられた。

この海の道の中継地として、東南アジアの沿岸に港ができる。風待ち、積み替え、水の補給、貿易品の集散地として港市国家が形成された。中国の歴史書によると、扶南、林邑（チャンパ）、狼牙修、などの港市があった。扶南はタイ湾に面したメコン河下流域に、チャンパ（林邑）はインドシナ半島東岸に、狼牙修はマレー半島東岸中部に位置していた。

扶南は、1世紀頃、メコン河下流域に建国された。その外港オケオからは、2世紀のローマの金貨、インドの仏像や神像、インド文字で記された錫板や指輪、中国・後漢の銅鏡などが出土しており、海の道の要衝で中継貿易港であった。伝説によると、インドから来航したバラモンとこの地の女王が結婚して国をつくったという。領域はメコン川デルタから中流域メナン川流域にまで及び、干拓や水路で湿地帯を肥沃な耕地に変えた。3世紀から6世紀頃まで栄え、中国への朝貢は26回に及んでいる。しかし扶南は、6世紀の後半、クメール人の真臘国に滅ぼされた。

海の道の中継地として、扶南に次いで、チャンパが2世紀末に、インドシナ半島東岸の南部に出現した。オーストロネシア語族のチャム人の国である。後の、この地の主人公、オーストロアジア語族のベトナム人とは系統が違う。この地域は、環南シナ海海洋文化であるサーフィン文化の中心であった。サーフィン文化は、紀元前数世紀から2世紀にかけて栄え、青銅器を使用し、農耕に従事しながらの独自の漁撈文化だった。このサーフィン文化とインド文化が融合してチャンパ文化が形成された。インド風の寺院や神像があり、数多くの煉瓦遺跡を砂丘や段丘の上に遺した。国土は、沿岸の山脈と峠が西を画し、外敵の侵入は容易ではなかった。反面、平野部が少なく、各地の港を拠点に海のシルクロード貿易の中継地として海洋国家として発展していった。

チャンパの北は、中国の後漢王朝の支配下にあり、交趾郡と日南郡があった。中国史料によれば、後漢の衰えに乗じ、１９２年、日南郡南端の象林県で現地人の首長、区憐が反乱し、独立してチャンパを建国したという。象林の邑だから、中国の史書には「林邑」と記された。

チャンパは山脈が海岸近くに迫り、耕地が少なかったので、肥沃な土地を求めて、紅河デルタ地帯に侵入し、北の中国と争った。10世紀になると、南のデルタ地帯にベトナムが独立すると次にベトナムの圧力を受け、15世紀にベトナムに滅ぼされた。

東南アジア経由の海の道は、七世紀に入ってから、マレー半島経由からマラッカ海峡経由にかわる。この背景には、この貿易に新たにアラブ船やペルシア船が加わるようになって、商船が大型化し、これまでのようにマレー半島を横断して船をのりかえるルートより、マラッカ海映を通過して直接南シナ海に出るほうが便利になったからだといわれる。

この結果新貿易路では、マレー半島のケダー、スマトラ島のパレンバンなどが寄港地となり、新貿易路に沿うマレー人の海洋国家シュリーヴィジャが、7世紀半ば頃誕生し、かっての東西交易の中心、扶南王国の滅亡となる。シュリーヴィジャヤは中国の唐に朝貢しており、史書には「室利仏逝」と書かれている。この国にはインドから大乗仏教が伝わり、その繁栄ぶりを前後3回も滞在した唐の巡礼僧義浄がその著書「南海寄帰内法伝」で述べている。

シュリーヴィジャヤは、8世紀後半からジャワ島のシャイレーンドラ王朝の支配下に置かれる。中国史料にある訶陵（過料）国がこれにあたるといわれる。シャイレーンドラは梵語で「山の王」を意味する。この王朝の遺した記念碑が世界最大の仏教寺院となるボロブドゥールの仏塔である。シャイレーンドラ朝は9世紀半ば以降おとろえ、スマトラ島南部に興る三仏斉に代わる。マラッカ海峡に広がる複数の港市国家群を中国史料では、三仏斉と記している。

ジャワ島中部では、繁栄していたシャイレーンドラに代わり、ヒンドゥー教を奉ずる古マタラム国が勢力を伸ばし、ジョグジャカルタ周辺を中心に華麗なヒンドゥー教寺院群プランバナンを建設した。929年ごろ首都を、東ジャワのクディリに遷し、クディリ朝となった。一説によると、ムラピ山の噴火が遷移の大きな要因になったという。クディリに移った政権は、１２２２年にはシンガサリ王国へ、さらに１２９４年にはマジャパヒト王国へと交代するものの、中部ジャワの沿岸地帯でイスラム教の諸王国が台頭をはじめる16世紀初頭までのあいだ、ジャワ島の政治・文化の中心は東部ジャワにおかれた。

〔ヒンドゥー文化〕

ジョルジェ・セデスが「インドシナ及びインドネシアのインド化した国々」で東南アジアの基層文化として稲作文化、牛や水牛の家畜化、金属の初歩的使用、航海術、女性の役割の高さ、灌漑農業の必要から生じた社会組織、精霊信仰、祖先崇拝、かめ棺またはドルメンへの埋葬、二元論的世界観を挙げていることは有名であるが、基層文化といっても、現実には外来文化の洗礼を受けていて純粋な固有文化は存在しないといわれており、これらのものに意味と形式を与えた外来文化を明らかにすることがまず東南アジア史の基本である。こうした意味で対象となる外来文化の嚆矢はインド文化である。

インド文化の第一波はヒンドゥーイズムであり、第二波は上座部仏教であった。ヒンドゥーイズムは扶南から真臘にいたるヒンドゥー国家に、上座部仏教は中国より南下し、十一世紀以後国家を建設したビルマやタイ民族に大きな影響を与えた。東南アジアの古代の成り立ちにおいて、ヒンドゥー文化の果した役割は大きい。サンスクリット文化といってもよいが、ヒンドゥー教、大乗仏教を通じて、インド文化は東南アジアの古代国家を指導した。東南アジア最初の国家扶南に始まり、チャンパ、ドヴァーラヴァティー、ランカスカなど大陸部の国ぐに、扶南滅亡のあとを継ぐ海峡国家シュリーヴィジャヤ、ジャワ島のシャイレーンドラ王朝、最後にマジャパヒト王国までヒンドゥー文化の影響下にあった。

これらの国々にインド文化が与えた影響としては、サンスクリット語の公用語化、ブラフミー系の文字使用、ヒンドゥー的な律法・統治方法、ヒンドゥー教や大乗仏教の信仰、ヒンドゥーの神話、美術の諸様式などがある。

一世紀頃からインドシナの各地に成立した諸王国は、インド式の名を持った王が支配し、インドの諸制度を採用して国家の整備を行なったが、インド文化の受容＝ヒンドゥー化は、これら支配者がインド的形態にのっとって自分たちの組織をつくりあげたのであって、それを受容する社会的基盤の成立が前提条件であった。インドとの交流は紀元前数世紀から始まっていたが、その受入れの準備が出来あがったのが一世紀であった。

ヒンドゥー文化を東南アジアに伝えたのは、一つは宗教関係の人々で、バラモン僧や、インド留学生であり、一つはインドから東南アジアにやってきた商人であった。このうち、とくに後者の役割は重要であった。マレー半島は、インドでは黄金の国とか、黄金の島と呼ばれ、金銀や宝石が珍重され、また絹織物など中国産の物産も取り引きされて、インドーマレー半島ー中国を結ぶ貿易路が形成されていた。このルート上に国家がつくられており、商人の来航が一定の影響を与えたものと思われる。

ヒンドゥー文化の東南アジアに与えた影響の中でもっとも大きなものは王権思想であった。ヒンドゥーの王権思想にならって、王は地上における神であり、シヴァ神やヴィシュヌ神の化身と考えられた。城壁と塀を持った王が住む都は、海と山々にとりかこまれた世界をこのまま縮小して表現された。都の中央には宇宙の山であるメール山（須弥山）をかたどったピラミッド状の建造物があり、頂上には神像が安置された。王はヒンドゥー教の宇宙観を現世に表現した神殿を建て、これを中心として小宇宙としての国家を現出させる。これは、高い所にいる精霊を信仰する東南アジア固有の習俗とインド的な王権思想の融合であり、東南アジアの文化が単なるインド文化の移植にとどまるものではないことを示すものである。このようなヒンドゥー国家の典型として、クメール王国（真臘）を挙げることができる。この王国の遺跡アンコールワット、アンコールトムはヒンドゥー的宇宙観の表現であった。もう一つの東南アジアの代表的文化遺跡であるボロブドゥールの仏塔も同じ範疇に属する。

〔上座部仏教〕

東南アジアに最初に入った仏教は、大乗仏教であり、ヒンドゥー教と並んで古代諸国の王権を支えた思想であった。ジャワのシャイレーンドラ王朝のボロブドゥールやカンボジアのアンコール・トム（バイヨンの人面塔は観世音菩薩像）はこの遺跡である。しかし十三世紀に入ると、これらヒンドゥー文化を担った王・貴族の没落とともに衰弱し、セイロン経由の上座部仏教にとって代わることになった。

十三世紀は、東南アジア史の大きな転換期であった。モンゴル勢力の襲来、これを契機とするビルマ、タイ語族の移動、上座部仏教とイスラム教の伝来が、東南アジアを一新させた。巨大な石造建築をのこしたヒンドゥー諸王国が倒れ、中国南方から移住してきたタべトナム、ビルマ、タイ民族が新興の民族国家を形成し大陸部のビルマ、タイでは上座部仏教、ベトナムでは儒教、島嶼部ではイスラム教が新しい文化の中核となった。

そしてこれら民族国家のイデオロギーとなったのが、上座部仏教であった。十二世紀セイロン島で国王の指導により上座部仏教が改革され、大寺派を正統としたが、これが数多くの仏僧をセイロンに引きよせることとなり、セイロン改革派（大寺派）の上座部仏教が東南アジアに広まる契機となった。まずビルマ最初の統一国家パガン王朝のアノーヤター王が十二世紀末に、またタイ最初の統一国家スコータイ朝のラーマカムヘン王が十三世紀末にそれぞれセイロン仏教を採用し国教とし、多くの寺院が建てられる。以後上座部仏教はビルマ、タイ、カンボジア、ラオス、の各王朝によって引き継がれ、王権思想という点で変りないが、ヒンドゥー教、大乗仏教に比してより多くの民衆を吸引し今日に至っている。

これら新興国家の政治や社会を知る上では、スコータイ朝のラーマカムヘン王の一二九二年の碑文などが参考となる。セデスのインドシナ文明史（みすず書房）に引用されており（一七三頁以下）、クメールの政治のやり方と比較してあってわかり易い。

〔古代ヒンドゥー諸王国と中国〕

東南アジア史の上で中国が関係するのは、主にベトナム史、南海貿易と華僑の部分であるが、扶南、チャンパなど古代ヒンドゥー諸国家の成立に際しても中国は一定の役割を果たしているので触れないわけにはいかない。まずこれらの国ぐにの歴史はインドではなく、中国の漢文史料から得るところが大きい。漢文史料は年時がはっきりしており、一貫した記述が得られるからである。これらの国々はいずれも中国に入貢しており、中国によって正統づけられている。いわゆる中華帝国の冊封体制に組みこまれることによって、中国の正史である漢書や梁書などに記録を遺すことになった。中国はインドと異なってこれらの国ぐにに対して国家の基本理念を何ら教えたわけではないが、国家権力の権威づけだけは行なっている。インド文明はその支配の内容を教え、中国文明はその支配の形式を与えたといわれる所以である。

〔ベトナムと中国〕

中国のヒンドゥー諸王国に対する関係が朝貢関係を通しての間接的支配であったのに対し中国のベトナムに対するそれは、政治的軍事的に支配従属下に置こうとするものであった。一〇世紀半ば呉権による独立王朝の創建まで、ベトナムは行政的に中国の一部であった。それ以後も中国の歴代王朝の軍事干渉をしばしば受けた。したがってベトナムの歴史はそれに抵抗する戦いの歴史であり、またそのことを通じてベトナムは国家を形成し、民族的なまとまりをつくっていった。

〔ベトナムと東アジア文化圏〕

しかしベトナム民族は中国の侵略には徹底的に抵抗する一方、漢字をはじめとする中国文化は積極的に吸収につとめた。かれらは、それによって民族の開化をなし、また民族の自立のエネルギーを蓄えたともいえる。東アジア文明圏の四大指標として西嶋定生氏は、漢字文化、儒教、律令制、仏教を挙げている。ベトナムは、これによるならば、日本、朝鮮半島と並んで紛れもなく、この文明圏の範疇に属するだろう。

今日ベトナム語に残る膨大な漢語からの借用、中国風の王朝、文武百官の制、均田制、租庸調の試み、科挙の導入、国子監の設置、禅や浄土系の中国仏教の移入など中国文化摂取の例は枚挙に遑がないが、全くの鵜呑みではなく日本や朝鮮の場合と同じく選択的に受容されていることはいうまでもない。とくにベトナムの場合、文化の受容は中国への抵抗という契機があったから、なおさらそうであった。

一例として漢字文化の輸入につとめる一方、ベトナム語の表記に漢字では不十分な点を補おうとして、チュノムという独特な文字を考案していること、あるいは律令についても十五世紀の洪徳律令が示すように中国の法典の模倣ではなく、ベトナム独特の規定を持っていること（たとえば財産相続では、父母と未婚の子女からなる小家族、双系的な親族組織を反映して、女子の取分も平等で夫婦間の財産関係が重視される規定があることなど）、あるいは儒教文化にしても、はじめは祖先祭紀を欠いていたことなど、挙げられるよう。またお歯黒をつける習償や檳榔子（ビンロウジュ）を噛む習俗とか精霊崇拝といった土着文化は中国化にもかかわらず、存続したし、仏教なども精霊信仰と混合していったことも指摘しておきたい。

〔ベトナムの南進〕

東南アジア史の大きな転換期であった十三世紀に、モンゴル勢力の襲来が契機となってビルマ・タイ語族が南下し、上座部仏教を中核として新しい民族国家をつくったと同様に、同世紀にベトナムは、モンゴルの侵入を撃退したことによって、民族意識が高揚し、儒教を紐帯として国家統一を強化させ、南方の伝統的国家チャンパを蚕食していった。十三世紀までの王朝は李朝を含めて仏教に傾斜し、仏教を以て国家の安定を図った。隋唐の支配時代に大乗仏教が伝来し、とくに南中国で盛んであった禅宗の影響は大きく、教団が幾つもつくられた。教団は王朝政治に深い関わりを持った。

ところが、十三世紀に入り陳朝が成立するや、陳朝では仏教よりも儒教が尊重され、科挙が整備されて文官支配が確立し、儒教が国のイデオロギーとなった。陳朝は民族意識の高揚した時代で、ベトナム最初の正史「大越史記」三十巻が著された。チュノムで書かれた国語詩の流行もその表れであった。陳朝は三回にわたるモンゴル襲来を撃退したその勢いで、逆に南のチャンパに矛先を向け、朝貢を強要したり領土侵略を行ったりして、ベトナム人のいう南進を強化する。

〔海峡貿易の変化〕

十三世紀、東南アジアの大陸が上座部仏教（ベトナムは儒教）の洗礼を受ける頃、島嶼部はイスラム化の波に洗われはじめる。東南アジアのイスラム化が遅かった背景には海峡貿易の主役に変動があったからである。

十三世紀まで、この方面の貿易はインドシナ半島の先端にあって南シナ海を扼するチャンパや、マラッカ・スンダ海峡を握るシュリーヴィジャヤの手にあったが、十三世紀の前後から、中国商人の活動が目立つようになった。中国人は、これらの仲継ぎ貿易国家を越えて直接インドネシアやインド方面と取り引きするようになった。宋元時代の技術革新により羅針盤が実用化され、数百人を乗せる大船が建造されたことなどが中国商人の南進を可能にしたのである。その結果、二つの海峡国家が没落し、またアッバース朝の衰えもあって西アジアのアラビア商人が活動を後退させるにいたる。それに代わって中国商人は東南アジアのいたる所に進出し、香料、犀角、象牙、絹織物、陶磁器などを取り引きして活躍した。

十二世紀前後から東南アジアの主要地域には、中国人の定着居住者すなわち華僑も見られるようになった。そして、このような中国海商の活動を背景として、有名な鄭和の西征が行なわれる。目的は国威の発揚であり、招撫の名による官営外国貿易の振興であった。しかし、南海外交は華やかなわりに出費がかさみ、成祖一代で下火となり、以後明初以来の海禁政策が強化され貿易は禁止される。

ところで、こうした十四世紀後半からの明の海禁政策は長期的には、東南アジアにおける中国海商の活動を鈍らせる役割を果した。その間隙をぬってインド系のイスラム商人が登場し、東南アジアのイスラム化に貢献する。

〔インド系イスラム商人の活動〕

東南アジアへのイスラム系、あるいはアラビア人の進出はすでに八世紀後半のアッバース時代から始まっているが、これらの商人はあまり布教に熱心ではなく、また上述のように宋以後の中国商人のインドネシアやインド方面進出もあって、アッバース朝の衰退とともに後退していく。東南アジアのイスラム化はその結果遅くなり、結局十三世紀に始まるインド系イスラム商人の活躍に待たねばならなかった。

北西インドのイスラム化は十一世紀から始まるが、この結果イスラム化されたグジャラートやベンガル地方を中心としたインド商人が綿織物を売りこむ傍ら、熱心に布教を始めた。こうして東南アジアのイスラム教は、アラブからではなく、古来、文化的影響を受けやすかったインドから入ったものだった。布教にあたった商人は多くスーフィー派のギルドに属していた。神秘主義的傾向を持つこの派の宣教師は民衆の中にとけこみ、信仰の実際を説教とともに行動で示したから、土着社会への同化は早かった。東南アジアの住民の中で最初にイスラム教に改宗したのは、スマトラ島北端の人々であり、十三世紀末のことであったという。以後海峡伝いにスマトラの東岸およびジャワの北岸に広がっていく。

それまではイスラム教徒の訪れた各地には大乗仏教やヒンドゥー教が広がっており、イスラム教は定着しなかった。ところが十三世紀インド人が伝道した地域は伝統的ヒンドゥー帝国の外濠にある非イスラム地帯で、文化のあまり栄えた形跡のない場所であった。インド商人はこれらの小王国を訪ね、まず王族などからイスラム信仰に変えていった。これら地方的支配者は新文化の受容に熱意を示し、イスラムを紐帯として国家連合を形成し、マシャパヒトのような伝統的国家に対抗していった。

〔マラッカ王国の役割〕

イスラム教に改宗したかかる新興国家の代表としてマラッカ王国が挙げられる。イスラム教はここを基地として十五世紀以後東南アジア島嶼部の各地に広がっていく。

マラッカ王国は伝統的なヒンドゥー国家シャイレーンドラ王家の血を引き、マジャパヒト王国の王位継承争いの難を逃れてきた貴族によって建国された。この地は東西貿易の要衝を占める地の利から、周辺の大国の注目を集める所であった。インドネシアのシュリーヴィジャヤやマジャパヒト、タイのアユタヤ王朝などの大国の圧迫、とりわけアユタヤ朝の南下に対抗するため、マラッカ王国は折から成立した明朝と朝貢関係を結んだ。

鄭和の西征はここを主要な寄港地として行なわれ、同王国はこの船隊の存在を背景にアユタヤ国の南進を牽制し、独立を達成した。その際新国家としてアユタヤ、マジャバヒトにおける伝統的インド思想に対抗するためイスラム教が国教として採用された。マラッカは鄭和の西征を契機に東南アジアの交易の中心となり、中国のジャンク船が増加し、それに引きつけられる形でジャワ、インド、西アジアの商船が集まるようになった。とりわけジャワ北岸の商船はマラッカに食料を供給し、香辛料をもたらしたが、彼らはマジャパヒトの支配から独立、貿易の利益を増進するため、こぞってイスラム教に入信した。こうしてイスラム教はマラッカと直接、間接の通商関係を通して十六世紀初めまでにボルネオやモルッカ諸島にまで広がっていった。

東南アジアのイスラム化は他の地域のように軍事的色彩は見られず、商人の交易活動や王族や商人の家族間の婚姻によるところが大であったから、かなり土着的伝統や文化と妥協の中で行われているところに特色がある。そこではイスラム教は伝統的な精霊信仰と結びつき、また慣習法と共存している。とくに、それはジャワでは著しいといわれている。ジャワではあらゆる儀式に際して人々がイスラム式祈祷を行ない、食事をともにする「共食儀礼」なる慣行があるが、これはジャワの伝統とイスラム教が結びついた一例である。またジャワでは初期モスクが伝統的ヒンドゥー様式をとり、墓にはヒンドゥー教の象徴が刻まれていた。

3　ラテンアメリカ

〔文明の誕生―形成期、先古典期―〕

紀元前一〇〇〇年頃までに、古代アメリカでは、人々は定住生活に入り、農耕、土器、織物の三者がセットとなった村落文化が形成された。各地の村落文化を結びつけたものが、交易であった。交易の核には祭祀センターがあった。信仰や布教を通じて各地の民衆は接触しあい、物資や情報の交換が行われた。やがて地域社会は祭祀センターを中心に統合され、文明の誕生となる。

大きな祭祀センターの発生は、中米より南米の方が早い。紀元前二〇〇〇年紀には、アドベと呼ばれる日干し煉瓦をコの字形に積んだ土台の上に神殿を設けた大建造物がペルー海岸地方にかなりできる。紀元前一〇〇〇年頃に入ると、海抜三四〇〇メートル地点につくられたチャビン・デ・ワンタルの神殿に代表されるチャビン文化が中央アンデスに広がる。神殿の石彫や奉納された土器などに一貫してみられるジャガーのモチーフや巨石板の浮き彫り、あぶみ形の注口部をもつ壷などが特色である。

中米メソアメリカでは、宗教センターの発生は、紀元前一二〇〇～前八〇〇年頃で、中心の祭祀センターとしては、ラ・ベンタやサン・ロレンソが代表的な遺跡としてあげられる。後世この地方の住民をオルメカ（ゴムの国の人）と呼んだことから、この謎の文化もまたオルメカの名で呼ばれるようになった。オルメカ文化の特長は彫刻に見ることができる。鼻が広く、唇は厚くそりかえった巨石人頭像が象徴的で、あたかもジャガーがうなっているような表現である。このジャガー的モチーフは石彫だけでなく土偶や人形から小さな骨細工にいたるまで、さまざまな形をとって表われている。

チャビン文化と同様、オルメカ文明においてもジャガーの属性を持った神が信仰されていたようである。その他オルメカ文明の遺跡からは、数字を用いて年代を記したと思われる石碑や神像も発見されており、マヤ暦の先駆として注目される。オルメカ人は交易を通じて宗教を伝えていった。その範囲はメキシコ中央部から遠く、エルサルバドル、コスタリカに及び、その文化は、中米古典文明の母胎となっていった。

〔文明の開花―古典期―〕

中米メキシコでは、オルメカ文化は紀元前五〇〇年頃になると衰えていったが、それに代わってその遺産を受け継いで、各地に広い地域を統合する宗教センターが次々とできていった。その中で断然、他を圧するように成長していったのがメキシコ市北方五〇キロにあるテオティワカンである。紀元前後から建設が始まり、紀元二〇〇年頃までに太陽のピラミッド、月のピラミッドを始め、数々の宗教的建造物がつくられた。紀元四〇〇〜五〇〇年頃の最盛期には二〇平方キロの範囲に主な建物だけでも二六〇〇を数え、推定人口も少なくて七万五〇〇〇、多く見積もって一二万人を越す大都市へ変貌していった。テオティワカンは「死者の大通り」と呼ばれる広い道路状の広場を中心に神殿、居住区、市場、広場などが整然と配置された計画的な都市であった。四〇〇〇に及ぶ住居址は、街路や通路によって区画され、各居住区とも中庭と神殿をそなえた独立の単位をなしている。周囲には、これと強いつながりを持つ衛星都市があり、またこれらの都市の生活を支えた農村地帯は、みなその宗教的な影響下にあった。

中央アンデスでも、紀元前二〇〇年頃までにチャビン文化は衰え、代わってその宗教的伝統を受け継ぎ大規模な宗教センターや神殿をもつ高度な文明が三つの地域に興った。それらは、北海岸の砂漠に広がるモチーカ文化、南海岸のナスカ文化、最後にやや遅れて現れたチチカカ湖畔のティアワナコ文化である。以後、古典期の文明は、少なくとも六世紀は続いた。

モチーカ文化の代表的遺跡は太陽のワカと月のワカである。いずれも、アドベと呼ばれる日干し煉瓦を階段式に積み上げ、その上に神殿をしつらえたものである。太陽のワカは底辺二二八×一三六メートル、高さ五〇メートルで一億三〇〇〇万個のアドベを用いたと推定される。現在の住民がワカと呼んでいる、このようなピラミッドは各地につくられ、頂上に神殿が置かれた。小型のワカは住居址のある地域には必ずあった。しかしメキシコとちがって神殿を中心とする計画的な都市は発達しなかった。住居群は周辺に散在しているが、家屋の配列は不規則で町や村の域をでなかった。

都市は発達しなかった代わりに、モチーカでは人民を能率よくコントロールするための社会機構は発達していた。集落と神殿や平野間には立派な道路がつくられ、中には砂よけの壁までつくられていた。インカ時代に全アンデスに建設される道路網は、早くもこの時代に起源がある。紀元前後から始まった灌漑事業もいっそう整備され、数百立方メートルの容積を持つ大貯水槽や百数十キロに及ぶ運河がつくられた。これらの灌漑施設を管理する意味も兼ねて河川流域には城砦がいたる所に築かれ、軍事的、集権的体制がつくられつつあったことを示している。

南海岸に栄えたナスカ文化はモチーフ文化とちがって、大掛りな祭祀センターはつくられず、アドベでつくられた村のような家の集まりがあるだけである。しかし荒野に巨大な地上絵を描いたり、木のストーン・ヘンジと呼ばれる大きた木の杭の群れをつくったり、さまざまな謎の遺跡を残している。

海抜三八〇〇メートルの高地に開花したティアナコ文化は、アンデス文化の古典期の最後を飾ったもので、その影響はアンデスのほぼ全域にいきわたっている。チチカカ湖南岸に遺跡があり、その大きさは、ほぼ一キロ四方に及ぶ。一辺二〇〇メートルのピラミッド、太陽の門、石の彫刻で飾られた半地下式の広場などがあり、一大宗教センターであった。全て石造りで、数々の石の彫刻、石碑に表されたモチーフは、ジャガー、コンドル、幾何学文様などであり、インカの創造神ピラコチャとおぼしき神人像もある。この文化は紀元一〇〇〇年紀の後半全アンデスに広がった。赤、白、黒の三色土器をもとに、その分布を確かめることができる。

アンデス文明もメソアメリカの文明も祭祀センターとしての神殿の形成を核として発展したものである。アンデスでは、都市は未発達であったが、灌漑技術が進み、それを基礎として軍事的、集権的支配によって、文化をおし広げていった。モチーカの土器には戦闘の場面が多く描かれ、王侯貴族や戦士、神官、漁夫、農民、奴隷などの諸身分が見られる。これに対し、メキシコでは、テオティワカンに代表されるように都市が発達して、それが交易や宗教センターとしての役割を果し周辺の広い地域を平和的に支配していった。数多い壁画も宗教的なものに限られ、軍事的な色彩は乏しい。このような祭祀センターや神殿を拠点とする古典期のメソアメリカ文明の頂点にはマヤ文化がある。モチーカやテオティワカンと並行して、グアテマラ高地とユカタン半島の密林地帯では、マヤ文化が花を開いていた。

マヤ文化が栄えたのは、紀元三〇〇年から九〇〇年までのおよそ六〇〇年間である。この黄金時代に知的、芸術的、宗教的創造活動が華やかに操り広げられた。建築、彫刻、天文、算数、象形文字による記録、宗教など各方面で高度な文明が展開した。ジャングルを開拓し切り石を積み上げた階段状ピラミッドの頂上に神殿が建てられた。宮殿は低いテラスの上に建てられ、長方形をなし、いく部屋かにしきられた。

いずれもしっくいの上塗りが施され多面体をなし、太陽の光線を四方へ反射するよう工夫されていた。建物の壁面や階段には赤、青、黄などの色で塗られた精緻な彫刻や壁画が飾られた。建物の周囲には年代を刻んだ石碑が立ち並び、神官や戦士などの人物像や蛇やジャガーなどのモチーフによる幾何学文様が彫られていた。マヤの祭祀センターにはこのほか、集会用の広場、舞踊や儀式用の祭壇、球戯場が設けられていた。

マヤの宗教センターは、テオティワカンのそれとは異なって、周囲に町並の広がる密集型の都市ではなく、神殿や神宮の住居、石碑、祭壇などからなるエリートセンターであった。マヤのエリートは神官、戦士（貴族）であったが、彼らは、天体観測を行い、暦を作成し、数字を用いて計算し、象形文字を読み、日付けを記録した。彼らは、太陽、月、金星などの運行を肉眼のみによって精密に観測して、ユリウス暦やグレゴリー暦よりも正確な太陽暦、その他太陰暦、金星暦を作成し、農耕生活に密着した日常用の暦と祭式など宗教用の暦という長短二つの暦をあやつった。暦の作成から旧大陸に先んじて零【ゼロ】の概念を発見し、零を含む二十進法の数計算の体系を編み出した。またマヤではアンデスとはちがって、古くから象形文字を用いており、神聖文字として神殿の壁画や石柱に刻み、絵文字として記録を残した。神殿には二十年ごとの「時の里程表」といわれる石碑を献納した。

マヤの神殿は支配階級の住む都市であり、その周囲の十数ないし数十キロ範囲の密林の中に農民の村落が散在していた。それは祭祀センターの石造の豪華な建物とは対照的な粗末なわらぶき小屋の集まりであった。一般庶民は知識とは無縁で、焼畑耕作を中心に生活を送り、農耕やその他の儀礼については暦を読み、神託を解釈できる神官の指示に盲目的に従うだけであった。彼らは宮殿に住む貴族や神殿の神官たちのために生産に従事するとともに建設に必要な労力を提供した。宗教センターによってコントロールされた社会という点では、マヤ社会は、他の中米や南米の社会と基本的には同じであった。

マヤ文明の活動は紀元九〇〇年頃になると停止し、神殿も造営されなくなる。テオティワカン文明も七五〇年頃北方狩猟民の侵入で消滅していった。古典期のメソアメリカの文明はここに幕を閉じる。その原因として気候の変化、内乱、外敵の侵入、通商網の破壊などがいわれているが、根本的には熱帯林の中での焼畑農耕という当時の生産技術では、増大する人口を養いきれなくなったからだと思われる。

〔統一帝国の時代―後古典期―〕

メソアメリカ、中央アンデスともに、十世紀以後は、古典期の文明は衰え、地方勢力の対立の時代に入り、群雄割拠、離合集散を経てインカ、アステカといった帝国に統合されていく。この十世紀以降の時代については、これまでの考古学的資料にのみ依拠する時代と異なって、十六世紀にやってきたスペイン人によって記録された伝承を利用できるので、歴史期と呼ぶ場合があり、王や民族名、系図、移動経路などを具体的に知ることができる。

中米・メソアメリカでは、後古典期の時代に入ると、古典期の遺産を踏まえてはいるが、文明は新しい様相を帯びてくる。南方から冶金術が入り、建築や芸術の様式が変り、神々が交替し、一部で都市防壁が登場する。絵画や彫刻では、死と流血のモチーフや人身供儀の要素が目立つようになり、戦闘的、軍国主義的、俗的傾向が強まる。古典期の宗教センターの中核となった神官は同時に軍事的指導者としての役割を果すようになる。

伝承記録によれば、メキシコ中央高原では十世紀の末頃メキシコ北部の砂漠地帯から各地を征服しながら狩猟民の一部族トルテカが南下し、トゥーラを都としてトルテカ文明を起こした。トゥーラは現メキシコシティ北方約八〇キロにある要害の地で、一三〇メートル四方の大広場を中心にしてピラミッド、宮殿、柱廊、球戯場から成る。ピラミッドの壁面には、人間の心臓を食う鷲、翼ある蛇、ジャガーなどが描かれ、ピラミッドの上には神殿の屋根を支えていた四本の巨大な石柱があり、投げ槍や刀をもった戦士像が刻まれている。テオティワカンや古典期マヤの農民共同体に基礎をおく平和な祭祀社会から、戦士が活躍し、征服と収奪を主とする軍事的な社会への転換を示している。のちアステカ時代に一般化する人身御供もこの時代に端を発すると考えられる。トルテカの伝説によれば、トゥーラに都し、ケツァルコアトル神の信仰を広め、トルテカ文明の黄金時代をつくったのは、第二代の王トピルツィンであった。ケツァルコアトルは語源的には「羽毛の蛇」を意味し、古来メキシコで信仰された農業神であったが、トピルツィンはその化身として崇められた。かれはトルテカ族の戦いと人身御供の風潮を改めようとして保守派の反感を買って追放され、ユカタン半島に去ったといわれる。

トルテカ文明は十二世紀、北方の狩猟民チチメカ人に滅ぼされる。後古典期は戦国時代で諸民族の覇権争いで明け暮れた。大規模な民族移動も行われた。トルテカ族のユカタン半島移動もその一つであるが、北方の蛮族チチメカ系民族の移動の方が影響は大きい。かれらはヨーロッパのゲルマン諸族に比定されるが、ローマの都市文明を破壊したゲルマン人は、自分たち自身都市をつくることはなかったが、チチメカ人は征服すると先進文明の伝統を摂取し、トルテカ人を用いて都市文明を建設した。テスココや、コルテスを驚かせた壮大な都トラスカラなどがその例である。

チチメカ人の中で最後にやってきたのがアステカ族であった。アステカ族は伝承によると十二世紀の中頃、故郷の地を出発して南下した。かれらは貧しい流浪の民として各地を放浪した末、一三四五年頃テスココ湖中の島テノチティトランに都を定めた。当時メキシコ中央高原は戦国時代で、トルテカ系諸部族が各地に都市国家を形成し、対立抗争に明け暮れしていた。アステカは初めのうちは、テスココ湖周囲にあった有力な都市国家に従属しながら、実力を養い、ついには中央高原の盟主となった。その領域は、太平洋沿岸からメキシコ湾岸までの広い地域にわたった。アステカは被征服民に年貢を強制し、**生贄**（いけにえ）のための人間を求め、徴集していった。アステカ人の宇宙観によると、太陽は人間の**生贄**と血から生まれたのであり、闇が世界をのみこんでしまわないためには、絶えず太陽に血と心臓を捧げて活力を与えねばならなかった。このために毎日のように生きている人間の心臓が取りだされ、神殿や神像に捧げられた。アステカの戦争はこの意味で、**生贄**とする捕虜を得るための戦争であった。

アステカ帝国は繁栄の絶頂期にスペイン人に征服されてしまうが、スペイン人が容易に征服できた背景には、アステカの軍事的支配に反感を持っていた民族が多数あったということである。メキシコ高原にはテオティワカン以来都市的伝統をそなえた多くの地方勢力がありトラスカラやタラスカなどはアステカには従わず独立を維持していた。かれらは、スペイン人を侵略者と見ず、同盟者の到来と考え、スペイン人に協力した。さらにアステカにとっての不運は、ケツァルコアトルの伝説を信じていたことである。トルテカ族の伝説では、戦争に敗れ、南方へ亡命せざるをえなかったトピルッイン王は、ケツァルコアトルの化身と崇められていたが、トゥーラを去るにあたり、再びこの都に東の方から帰ってくると宣言したと伝えられている。コルテス一行が東方カリブ海から上陸した日がまさにその日にあたっており、アステカ人は一行をケツァルコアトル神と考え、恐れおののき抵抗をなかばあきらめたという。

中央アンデスでは、テイアワナコ文化の衰えたあと、混乱期に入り地方文化が興った。それらは王を頂点に貴族、神官、戦士などを支配層とする首長制国家であった。群雄割拠の中で、発達した灌漑農業や神殿による統治で、統合力が強かったのは、ペルーの地方国家であった。それらの中で、十二世紀頃ペルー北海岸を制したのはチムー王国である。首都チャンチャンは総面積二〇万平方キロよりなる計画都市で、人口は五万を数えた。市の周囲には外壁があり、内部は十の区画に分かれ、各々九～一三メートルの内壁に囲まれていた。その中には宮殿、ピラミッド、貯水池、工房、倉庫、庶民の家があった。道路、水路などもゆきとどいており、海岸の砂漠を通る道路には、ところどころ要塞が置かれていた。チムー王国はアンデス最大の国家であったが、その他、アンデスには、多くの首長制の国家が並び立っていた。南海岸のチンチャ、チチカカ湖付近のルパカ、中央海岸のチャンカイなどの諸王国などが知られており、河谷流域など比較的狭い領域を支配していた。これら諸首長国家の中から十三世紀に入って、インカが台頭し大帝国を建設する。

インカ帝国は十四世紀末までは、南部山地のクスコ地方を領する小王国にすぎなかったが、第八代の皇帝ピラコチャ・インカのとき、北方から侵入してきたチャンカイ王国軍を撃退してから急速に軍事国家として成長していった。ついで第九代パチャクチャ・インカのとき、強国チムー王国に勝ち、北海岸一帯を制圧してからは、征服国家として成長を始め、中央アンデス全域に軍を進めた。一四七一年即位した第十代皇帝トバ・インカの時代には、帝国の版図は最大に達した。北は現在のエクアドルとコロンビアの国境から、南はチリの北半分に至るアンデス地方を占領し、日本の約二倍半の広さを持つ帝国が完成した。

インカ帝国が広大な領土の統一を可能にしたのは、すぐれた土木技術と労働力の組織化、交通通信機構の整備、そして何よりも統治の巧みさにあった。しかし、それらの多くは、独自に編み出したものではなく前代の諸王国から学んだものであった。たとえば、インカ帝国は全土に発達した道路網を完成させたが、砂漠の道はモチーカやチムーのものに改良を加えたものだといわれる。また賦役などにより集積された生産物は、地域的な必要物資の配給や社会保障として計画的に再分配されたが、それら物資の徴集と再分配を基本とする統治政策は、アンデス各地に古くから行われていたもので、その多くをチムー帝国から学びとっていたといわれる。高度差を利用して、さまざまな環境を統合する形態はルパカ王国から借用したものであり、インカの有名な階段畑も中央高原のワルカ文化ですでに見られたものでインカの独創とはいえない。ただインカにおいてはそれらが、拡大・増補されたとは言える。そうした意味でインカ帝国の統治体系はアンデスの諸文明・諸文化を基礎に拡大・発展させたものであり、アンデスの伝統に根ざす社会の集大成であったといえよう。

インカの文化遺産として見るべきものは、太陽の神殿などの大石造建築、道路、橋梁、灌漑などの土木工事、駅伝・宿駅制などの交通施設であり、当時のヨーロッパを凌いでいた。飛脚は馬を使ったヨーロッパの飛脚の三倍以上の速さであったという。そのほか、さまざまの野生の薬用植物による医療法、麻酔による外科手術の発展が有名である。今日、我々が使用しているキニーネ、コカイン（麻酔剤）、イペカ（下剤）などは、インディオが発見したものである。インカの医者は、タバコを嗅がせて、鼻の病気を治し、麻酔剤を用いて脳手術を行った。インカには中米のように天文、暦、算数や文字の文化は発達しなかった。文字がなくその代わりに数字を記録するものとして結縄（キープ）が使われた。縄の結び目と色分けで数字を表した。零【ゼロ】も知っていた（結び目をつくらない事で表す）。インカの文化は、それ以外の面では冶金術にせよ、工芸技術にせよ、前代の踏襲であった。織物の技術も新しい進歩は見られないといわれる。

インカ帝国は二百人余りのわずかのスペイン人に滅ぼされる。太陽の御子なる皇帝の支配する専制君主国家は、頂点の皇帝が捕らえられたとき、政治機構も社会制度もすべて職能を停止し、スペイン人のなすがままになる。しかし、スペイン人により、もろくも崩壊したインカ帝国は、名前のほどは強固な統一体ではなく、諸部族や諸地方の独立性はかなりの程度保たれており、かつて考えられたほどには統一政策が全土的に画一的に実行されてはいなかったことが、最近の研究で明らかにされている。さらに問題だったのは、インカでは、皇位継承のルールが確立していなかったために、皇位相続の争いが皇帝の死ぬたびに行われたことである。スペイン人の侵入の頃は、アタワルパとワスカルという二人の王子の皇位争いの最中で、アタワルパが勝利したちょうどその時、ピサロ一行がペルーに上陸したのである。

ラテン・アメリカの古代文明は、オリエント文明などの旧大陸の古代文明とはかなり異なった面があり、そのユニークさを押さえておきたい。古代文明というと、文字と金属器の使用がその指標のように考えられているが、アンデス文明では、インカのように数字を記録するキープ（結縄）はあっても、文字はなく、文字による記録なしに巨大な石造建築、道路、橋、灌漑などの土木工事を行い、南北三〇〇〇キロを越える大帝国を統治することができた。

一方、金属器に関しては、アンデス文明では紀元前にさかのぼる先古典期には金・銀・銅などを少なくとも装身具の類に加工する技術はあったが、マヤなどのメソアメリカ文明では、紀元前十世紀より以前に金属器のつくられた形跡は見られない。石器だけの幼稚な技術をもって、複雑な神聖文字、天文暦数の高度な知識と洗練された芸術を生みだしている。さらに、生活技術の諸相を見ると、車、スキ、ロクロ、ガラス、鉄器のような旧大陸文明に普遍的な技術を持っておらず、農業は原始的な掘り棒耕作であって、牛や馬のような大型の家畜もスペイン人の征服まで知られていなかった。建築技術においても、アーチや丸天井もヨーロッパ人が来るまで知られておらず、マヤの疑似アーチがせいぜいのところであった。旧大陸の古代文明からすれば、新大陸の古代文明は、新石器文化の技術水準のまま、直接の生産労働から解放され宗教、学術・美術工芸などに専念できる階層を養うだけの余剰生産を生みだしたことになる。そういう点で旧大陸の古代文明の既存概念では解明できない面があることに注意したい。

さらに文明の起源についても特異である。旧大陸の古代文明は乾燥した大河の流域に発生しているが、メソアメリカでは、熱帯雨林のジャングルの中で開花している。アンデスの場合は、農耕文明は海岸で発生し高原に及んでいる。旧大陸の古代文明が乾燥地帯の大河流域における水と戦いであったのに対し、マヤ文明の場合は、生い茂るジャングルとの戦いであったともいえる。

通常、アメリカ文明というと、日本ではアメリカ合衆国の文明を指すようだが、本当は合衆国をその一部分とするところの、より広いアメリカ大陸に根ざす文明を表わす。アメリカ文明は三つの要素から成り立っている。その基底にあるのがこれまで述べた先住民インディオの文化である。これにアフリカから連行された黒人の文化、さらに侵略者ヨーロッパ人のスペイン・アングロサクソンの文化が重なり、時には融合して原アメリカ文明は形成された。その一部にすぎないヨーロッパ文化のみを学習しても、真のアメリカ文化理解とはならない。アメリカ文化の没落を人は言うが、それは実はこの大陸の侵略者たるヨーロッパ文化の没落を、たかだか意味しているにすぎない。むしろこれからが雌伏していたインディオ文化やアフリカ文化が復権し、アメリカ文化の再生が始まらんとする時期である。

メキシコを経由してアメリカ合衆国に行く日本人が、どこに見学にいくのかと聞かれ、アメリカへと答えると、けげんな顔をされ、ここがアメリカではないかと言われるそうである。日本人の皮相なアメリカ観をよく表しているエピソードである。

第5章　ヨーロッパによる南の侵略・征服

1　アフリカ

黒い王国の繁栄に終止符をうち、アフリカに荒廃と仮死をもたらしたものは奴隷貿易にほかならなかった。奴隷貿易の初めの担い手はポルトガル人であった。ポルトガルの西アフリカ探険で留意すべきことは、十五世紀に始まるポルトガルのアフリカ海岸探険は、通常レコンキスタの延長としてのイスラム教徒への復讐や十字軍意識、聖ヨハネ伝説に基づくアフリカ南部のキリスト教国との連絡等、宗教的動機を中心に説明するが、それ以上に強い動機となっていたのは、アフリカの黄金であったということである。

九世紀のアラブの文献で「ガーナの国では黄金はまるで人参のように砂の中から生えてくる。人々は夜明けにそれを抜きとる」とあるように黄金の国ガーナはなかば伝説化されて地中海世界に喧伝されており、当時東方との貿易、とくにイスラム世界を仲介として、高価に取引された香料の代価として、ヨーロッパは生産力未発達で見返りの商品が充分でなかったため、支払いに金銀を要したこと、その金銀の不足に悩んでいたヨーロッパ諸国にとってこの誇張された黄金の国の風聞が、イスラム教徒の壁を越えた世界に海路到達しようというヨーロッパ人の願望をかきたてたといってよい。

しかしアフリカ沿岸に到達したポルトガル人は、かつてあれほどの妄想を生んだ黄金が、交易ルートの関係で海岸地方へあまり流れてこないことを知って幻滅に終わり、それに代わって彼らを引きつけたのは黄金に匹敵する価値を持った黒人奴隷であった。

ヨーロッパ人との奴隷貿易が始まった頃、西アフリカの海に面した森林地帯ギニアに黒人王国としてヨルバ族のオヨ、エド族のベニン、ダホメ、アシャンティ、ザイール川以南でコンゴ古王国などが勢力を持っていたが、これらの国家の勃興の時期が、大西洋奴隷貿易の展開期と一致し、奴隷貿易の仲介が、これらの国家の発達を促したことは否定できない。これら西アフリカ黒人王国とヨーロッパの貿易は初期においては相互の協力関係の中で行われたことは注目すべきである。とくにコンゴとポルトガルの間では、大使の交換が行われ、その王アルフォンソはキリスト教に改宗したほどであったが、十六世紀から行われる大規模な奴隷貿易の進展は、初期の友好関係を敵意と憎しみの方向へ変えていった。

十六世紀に始まる大規模な奴隷貿易は、アメリカ大陸におけるスペインのプランテーション経営と密接に関わっている。ここでの原住民インディアン虐待による労働力不足が、アフリカの奴隷狩りに向わせた。前者の皆殺しが後者の不幸の因となったのである。インディアンの労働力と異なって、アフリカ黒人は農園労働に適していた。アフリカでは既述したようにサン族、コイコイ族など一部を除いてその多くが食料生産革命を終え、鉄器使用の農耕文化の洗礼を受けていた。とくに奴隷貿易の主対象となったギニア地方はそうであった。一方インディアンはマヤ、アステカ、インカなど核アメリカを除いて、その多くが狩猟・漁労の採集経済の段階にあったから、農園労働に不適であった。

ヨーロッパ商人は国内で安く買いこんだ毛織物、鉄製品、マスケット銃等を、西アフリカ沿岸の要塞に設けられた商館で、黒人捕虜と引きかえにアフリカの首長たちに売り渡した。捕虜たちはカリブ海や中南米にあるプランテーション向けに大西洋を奴隷船で輸送される。奴隷を売ったヨーロッパ商人は最後に奴隷農園で生産された煙草、砂糖、米、綿花などをヨーロッパに持ち帰り高利潤を得るという三角貿易が、これら黒人の犠牲の下に展開し、アフリカの荒廃が加速的に進行した。

こうして始まった奴隷貿易は一七世紀から十八世紀に最盛期を迎え、アフリカから多くの強壮な男子を中心とした黒人人口が失われた。途中の死亡者を除いて一五〇万から二五〇万の黒人がアメリカに運ばれたという。奴隷貿易はアフリカの人口を激減せしめたのみならず、奴隷獲得の戦争を惹起せしめ、多くの黒人王国を自滅に追い込み、アフリカの生産力の発展を麻痺させた。奴隷と引き換えにヨーロッパ商人がアフリカの首長に渡したのは火器や火薬であった。黒人王国は奴隷としての捕虜を得るために互いに勢力を争い、勝利を得るためにより多くの火器を必要とした。ところでその火器はヨーロッパ商人が奴隷と引き換えにしか売ろうとしなかった。かくてここに奴隷獲得のための悪循環的な戦争が、とめどもなく行われ、アフリカは内部から崩壊していった。

ところでアフリカ大陸には、古来捕虜を家内奴隷として働かせる奴隷制度があり、また奴隷貿易はヨーロッパ人来航以前から、黄金貿易と並んでアフリカ内で行われ、サハラ経由でベルベル人を通して塩と交換にイスラム世界のアラブのハレムや富豪に妾や召使として買われていった。このことがヨーロッパ人をして奴隷貿易の免罪論に利用されるが、アフリカ王国内の奴隷は、アメリカで家畜のように酷使された労働奴隷と異なり、家内奴隷であり、家族の使用人としてある程度の人権も認められた。またアラブ世界に取り引きされた奴隷貿易も小規模なもので生産面では用いられず、住民の間に目立った痕跡は残さず、その意味で近世に行われた奴隷制とは本質的に全く異なるものであることを留意しておきたい。

　アフリカ社会の停滞、生産力の低さは、サハラ砂漠など自然の障壁に阻まれて、他の大陸の高度な文化との接触が、近世に至るまでわずかしか行われなかったこと、生産技術的には、車の欠如、大型運搬獣の使用の困難、言語の多様さ、無文字社会に由来する技術の伝達蓄積の困難さなど多様な原因があるが、より根本的には、十六世紀以後ヨーロッパ重商主義による破壊的収奪に起因する所が大きい。ヨーロッパは逆にこれにより本源的蓄積を完遂し得たということができる。従ってヨーロッパ資本主義の発展を学ぶ際、それと平行してこの部分のアフリカ史を把握しない限り、ヨーロッパ資本主義の学習は片手落ちになろう。

　奴隷貿易の次にくるヨーロッパによる最終的は収奪はアフリカ分割である。アフリカ分割は、これまで大体ヨーロッパ側の利害対立だけで帝国主義を説き、アフリカ社会の内側から見た抵抗史、あるいは社会構造との関連を抜きにして説明してきた。抵抗史もせいぜいそれ自体、前身は侵略者にすぎなかった白人のボーア人の闘いか、アフリカ人としては、エジプトのアラビパシャ、スーダンのマフディーぐらいなもので、アフリカ北部とアフリカ南岸に限定され、アフリカ深部における黒アフリカ人の闘いは、ほとんど歴史書や教科書には記載されてこなかったことに注目したい。

アフリカ植民地化の第一期は、十九世紀八〇年代末までである。この時期は奴隷貿易が廃止され、帝国主義の分割が行われる時代までの間に位置しており、重商主義時代の商業資本より金融資本のかけ橋としての産業資本主義の発展しつつあった時期でもある。

奴隷貿易はイギリスでは一八〇七年、フランスでは一八一八年に廃止されたが、その背景には産業資本家が前近代的な奴隷貿易よりもアフリカを市場として開拓した方が利潤が多いと考えていたからにほかならない。産業資本がアフリカの未知の天然資源やアフリカ人労働力、アフリカ内陸との交易に関心を強く持ったからである。彼らはこの時期にはまだ大陸に領土の拡張の意図はなく、ただ将来のために布石として、また原料市場を支配するため、不平等条約、保護条約を結び、他国の動きを注視しつつ、領土を留保していた。この頃、奴隷貿易に反対するキリスト教の布教運動と内陸探険旅行が盛んに行われていたが、これらは宗教的動機や学問的動機もあったが、そのほとんどがかかる産業資本の要請を担っての行動であり、資源調査、商業ルート設定など前記の目的と結びついていた。さらに探険家の目的の一つにアフリカ人首長たちとの保護条約締結があった。ヨーロッパ各国はこれらの保護条約に基づいて、広大な地域を支配し、不当な条件で原料を買い上げた。各国とも奴隷船監視を口実に軍艦を派遣し、その武力を背景に市場の確立拡張のために内政干渉を強めていった。こうして始まった第一期の植民地支配に対してアフリカ人の抵抗が各地で行われた。

十九世紀中頃メッカの巡礼でカリフの称号を得、イスラム改革を行ったエル・ハジ・オマールはセネガル川に居留地を持っていたフランス軍と衝突し、執拗に抵抗、一八七〇年頃から一八八一年にかけて西スーダンからギニアにかけて帝国を建設した。サモリ・トゥーレはフランス軍の領土侵犯に対し、一八八二年から一六年の年月を費し闘った。フランスの鉄道建設に反対し、一八八二年から八六年にかけてフランス軍に抵抗したラト・ディオールも逸することができない。またギニア海岸の黒人王国アシャンティはイギリス軍と、ダホメ王国はフランス軍に抵抗し、南アフリカのボーア人のグレートトレック(大移住)の侵略に対してはズール族が四十年間にわたり抗戦し、一八七九年セテュワョ王が逮捕されてようやく終わった。これら植民地化第一期における民族防衛戦争にアフリカ人が敗れた理由は第一に圧倒的な軍事力の差であり、第二に奴隷貿易によって互いに離間され、敵対関係に入るようになったアフリカ人は、共通の敵に対し、結束できず逆にヨーロッパ側にその対立を利用されたこと、アフリカ側は部族単位か部族連合でしか戦えなかったことによる。

植民地化の第二期は、十九世紀八〇年代から二十世紀中葉までの帝国主義時代以降であり、アフリカがヨーロッパ経済体制に組みこまれる時期である。一八八四年から八五年のベルリン会議とその後のいくつかの二国間協定によりアフリカはヨーロッパ諸国の完全な植民地支配下に置かれるようになった。この間アフリカの各地域では、第一期と同じく、部族単位での民族独立戦争が行われていたが、いずれも帝国主義の圧倒的な武力の前には、力量不足に終わった。ただそれらの中で強力な部族連合を結成し、中央集権国家をつくる動きが現れたことは特筆に価する。東スーダンのマーディ国家、中央スーダンのラビーフ帝国、既述せる西スーダンのサモリ帝国がそれであった。しかしこれらも束の間の支配で、軍事的に圧殺された。アフリカ分割完了後のアフリカの抵抗は反乱と呼ばれるが、しだいに部族単位の抵抗のスタイルを脱し、部族を越え地域ぐるみの諸部族統合の闘争へと変化していった。その統合の紐帯となったのが、キリスト教、イスラム教あるいは、土着信仰を含めそれらの混淆した宗教であった。

次に第一期が征服者の領土侵犯に対する原住民の素朴な生存のための闘いであったのに対し、第二期は征服者の植民地支配に伴う土地の没収、人頭税の賦課、鉄道と道路建設のための強制労働、徴兵などに反対する闘争であり、アフリカ人の経済的基盤を奪い、生活を脅やかす植民地政策に抗議する運動であった。これらの運動は多く宗教的装いをこらしていたのが特徴である。

たとえば一九〇五年から七年にかけてタンガニーカに起こったマジマジの反乱がある。ドイツ政府が砂糖きび農場へ部族民を強制労働に拉致したのが直接原因で、土着の蛇神信仰であるコレロという呪術信仰を利用しながら部族を越えた組織化を行い一大反乱に発展した。同様に一九一五年白人入植者による土地没収、人頭税の賦課に反対し信徒がおこしたニャサランドのチレンブウェ運動や仏領西アフリカのコートジボアールを中心に至福千年、救世主の到来をまつハリス運動はキリスト教であった。また一九二〇年代ベルギー領コンゴで勢威を振ったキンバング運動は、バコンゴ族の土着信仰にキリスト教が接木されたものであった。

このような宗教の外皮をまとった民族解放運動も第一次大戦後の全世界的な民族解放運動の高揚の中で、エジプトのワフド党やチュニジアのデュトゥル党に刺激されて、しだいに宗教的運動から政治的運動へと質を転換させた。ナイジェリアの国民民主党、ケニアのキクユ協会の運動などがそれであり、一九二〇年に結成された英領西アフリカ民族会議はアフリカ最初の民族主義組織であり、ここに植民地支配を脱し、部族をこえてアフリカ民族として団結し、独立への道を歩む胎動が始まる。

2　東南アジア

〔初期植民地化の時代〕

東南アジアが社会、経済の全面にわたって構造的に欧米の植民地に変化するのは、十九世紀後半から二十世紀初頭にかけてのことであった。十六世紀初頭からヨーロッパ勢力の進出が見られるが、海域支配をめぐる拠点争いに特徴があり、島嶼部の一部を除いて植民地支配が及ばなかった。植民地支配が全面化する十九世紀までは、伝統的王朝が各地に割拠し、その間に点在する形で、西欧諸国の貿易拠点があり、相互に海域争奪を行なっていた。

伝統的王朝としては、大陸部のビルマには、タウングー朝、コンバウン朝、タイにはアユタヤ朝、ベトナムには、黎朝、阮朝、島嶼部のマレー半島にはマラッカ王国（一五一一年まで）、東ジャワにはマタラム王国、ジャワにはバンテン王国などがあったが、植民地化以前の東南アジアの国家は、今日のような明確な国境を持った領域国家とは言い難く、河川の流域に発達した小規模なものが多く、王都を中心として、王の威光が及ぶ範囲が国家であり、国境は漠然としており、そこには多数の少数民族の社会があった。

これら伝統社会を背景に十六世紀から十九世紀前半にかけてポルトガル、スペインについでオランダ、イギリスが進出してくるが、これらヨーロッパ諸国の活動は初期資本主義の重商主義の段階にあたり、香辛料をはじめとする貿易の利潤獲得を目的としており、各国の王室やその特許会社により貿易活動は独占されていた。

かれらは、伝統社会の支配層を利用して、その権威によって富の収奪を図った。したがって、一般的にはその限りにおいて、領域の拡大や支配には強い関心を持たなかった。

こうして十九世紀前半までの東南アジア社会は総体として、ヨーロッパによる支配は受けず、伝統的な旧社会の論理で動いていた。東南アジアがヨーロッパ資本主義の論理で動くようになるのは十九世紀後半、産業資本の活動期に入ってからのことである。

この時代は大航海時代のポルトガル、スペインから始まってオランダ、イギリスにいたる貿易拠点をめぐる確執の時代であると同時にこの時期は大陸部において、現在の諸国家の基礎となる諸民族の統一王朝がその花を開かせていたし、また明・清の海禁令に関らず中国沿海民の移住は進み、マニラ、バタビアなど各地に華僑社会がつくられつつあったこと、さらには鎖国までの一時期ではあるが朱印船貿易で日本人が渡航し、各地に日本町の形成を見るのもこの時期であったことを触れておきたい。

〔植民地化の完成〕

十九世紀後半の七十年代から二十世紀のはじめにかけて東南アジアは全面的に欧米の植民地となっていく。八十年代にベトナムがフランス、ビルマがイギリス、九十年代にマレー半島がイギリス、フィリピンがアメリカ、二十世紀の十年代までにインドネシアがオランダの領有下に入る。唯一の独立国のタイもイギリスとのボーリング条約によって関税自主権を奪われ、資本主義の国際分業体制の中に組み入れられる。

ヨーロッパ諸国の植民地支配は、初期植民地化時代の貿易拠点確保、通商独占から、内陸支配に重点を移し、領域支配、領土分割に目的が移っていく。本国の産業革命によって、従来の商業資本に代って産業資本が主導権を握るようになり、東南アジアを本国工業の原材料の供給源、本国工業製品の販売市場に変えようとしたからである。領域支配が成ると資本が投下され、プランテーションが営まれヨーロッパ産業資本の農業植民地に再編成される。この結果、東南アジアは、政治、経済社会の構造が根底的に変わり、その変化は、一般民衆の生活次元にまで及んだ。

植民地化は第一に東南アジアを典型的なモノカルチュア経済に組み換えていった。世界経済の原料基地として、欧米各国は、それぞれの植民地で、産品特化につとめ、鉱物資源、農業特産物を生産させ輸出した。マレー半島は錫やゴム、インドネシアは石油とゴムなどの生産基地と化し、ビルマ、タイ、ベトナムのデルタ地帯は米、インドネシアやフィリピンでは砂糖、タバコ、コーヒー、パームオイル、マニラ麻が開発され、欧米を中心とした世界市場に供給された。その一方植民地には本国の工業製品が持ち込まれ、関税政策などにより本国商品の排他的商品市場となり、華僑資本の形成を促した。

この結果、農村の伝統的な自給自足経済は破壊されて商品経済に編み込まれ、現金支出が増え、仲買商人や高利貸資本の餌食となり、農民は窮乏化していった。また、輸出用の農業特産物の増産が行われるかげで、原住民の食料生産（米づくり）は放置され圧迫された。水利灌慨や農器具、肥料などの開発は行なわれず旧来のままであった。そこでこれらの穀物不足地域に米を供給するためデルタの開発が始まった。ビルマ、タイ、ベトナムの大河デルタが米作地帯となるのはこのときからでプランテーション農業による輸出用の商品として生産された。

植民地化は第二に複合社会の形成を促した。植民地における商品作物農業の進展は、集荷販売などの流通及び金融面で取り引きや実務に暗い原住民の農民に代って外来のアジア人すなわち中国人やインド人が仲介者となる機会を与えた。ビルマではインド人の金貸しが、その他の地域では中国人が金融業や仲買商人の主流となった。またこれらの外来アジア人は労働力としても用いられ、中国では苦力（クーリー）と言われた。マレー半島の錫採掘は中国人苦力労働によって、ゴム栽培はインド人苦力労働によって行なわれた。こうして華僑やインド人は植民地経済社会の中間的位置を占め、白人の植民地支配を助けた。植民地社会は、これら東洋外国人を中間に、政治、経済の実権を握る白人を上層に、上は官吏から下は農民・農業労働者として下層をなす原住民の三者から構成され、複合社会を形成した。

植民地化は第三に近代化を促し、中央集権的官僚機構を組織し、教育制度を整え近代都市をつくり、みせかけの領域国家を創出した。まず合理的な官僚機構による支配は土着権力を崩壊させ、伝統的エリートは植民地官吏に転身し白人官僚に従属することとなった。また塾を中心とした伝統教育も解体し、小・中・高・大学の洋式学校制度が整備された。そして植民地の領域支配を貫徹するため、その中心に人工的な植民都市が造成された。ビルマのラングーンやベトナムの旧サイゴンがその典型的な例であり、ここを拠点に内陸の隅々に欧米の商業文化が広がっていった。東南アジアの近代化は植民地化とともに始まり、家産制国家が支配的で国家観念の乏しかったこの地域に、植民地権力は領域国家の観念を植えつけ、見せかけの近代国家をつくっていった。

３　オセアニア

ヨーロッパ探検家・航海者の侵入

太平洋へのヨーロッパ人侵入の始まりはマゼランからである。かれ自身はセブ島で殺されたが、残った一隻が喜望峰回りでスペインに戻っている。これがきっかけで、この後、レガスピによりマニラ市が建設され、フィリピンとメキシコ間の貿易路が開かれた。スペインは伝説上の南方大陸の発見にも力を注ぎ、南太平洋の多くの島を発見している。ソロモン諸島、マルサケス諸島、ニューヘブリデス諸島がそれである。スペインは無敵艦隊がイギリスに敗れてから太平洋より姿を消し、代わってスペインから独立したオランダが十七世紀に活躍する。

タスマンがその代表的航海者で、一六四二年、タスマニア島、ニュージーランド南島西岸、トンガ諸島、フイジー諸島の一部を発見し、ニューギニア島の北を航行してバタビアに戻った。この航海でオーストラリアが南方大陸の一部ではないことが実証された。

最後に登場したのはイギリスで、十八世紀、太平洋にのこされた空白の地域を明らかにし、探検時代の幕を閉じた。その功労者はキャプテンクック船長である。第一回の航海でニュージランドを探検し、南北二島からなることを知った。その後オーストラリアの東海岸（オランダの発見したニュー・ホーランド）を探検し、ニューサウスウエールズと命名し英領を宣言した。トレス海峡を通って帰国したが、ニューギニアが大陸と別個の一大島であることを発見した。第二回の航海は南極圏まで踏み込み、ギリシャ以来、伝説で語られた南方大陸が幻にすぎないことを明らかにした。第三回は数世紀以来の懸案であった北西航路の発見を志したものだった。クリスマス島、ハワイ諸島を経てベーリング海峡を越えて北氷洋に入ったが、結氷で進めず引き返し、北方航路の幻想が打ち破られた。

こうして十八世紀の末までに、オセアニアの地理的全貌がヨーロッパ人に明らかになった。十八世紀最後の四半世紀からは、ヨーロッパ人による貿易、植民、布教の時代へと入る。

貿易、植民、布教の時代へ

十八世紀末からは、探検船に代わって、捕鯨船が盛んに活動を始め、また中国向けの白檀や黒檀などの木材、なまこ、真珠などの資源を求める冒険商人が島々を活動の場とした。鯨は照明用の油やコルセットの材料として当時の西洋人にとって必需品であった。一八四〇年代から五〇年代が最盛期。イギリスとアメリカの捕鯨業が中心で、初期はマルケサス諸島とソシエテ諸島に基地がおかれたが、のちにはニュージーランドとハワイが中心となった。一八五九年アメリカで油田が発見されて、鯨油の重要性がなくなり、南北戦争がさらに拍車をかけ、下火となった。

捕鯨と並んで中国貿易も多くの冒険商人を誘った。オセアニアで見出した中華料理用のナマコ、彫刻用の白檀や黒檀などの木材、真珠、真珠貝、鼈甲などが、中国で売れる資源であった。これらの資源が乱獲された代わりに鉄砲と酒類が持ち込まれた。ニュージーランドを本拠とするイギリスと、ハワイを基地とするアメリカがこれらの交易を支配した。メラネシアにはオーストラリア商人も進出した。

乱獲により資源は五十年で枯渇した。それと引き替えに酒と銃がオセアニア人を抗争の渦に巻き込んだ。住民は西洋人と血なまぐさい争いを起こしたが、一方では船員や作業員として雇われていった。島々の内乱と王国の統一はどれだけ銃を仕入れ、西洋人のサポートを得られるかにかかってきた。

貿易商人と平行してキリスト教の宣教師も、多数オセアニアに来航して布教を行った。スペインがその嚆矢である。グアムなどマーシャル諸島でのカトリック・イエズス会の布教が十七世紀後半より行なわれたが、住民の文化・慣習を無視したキリスト教の押しつけは対立を生み出し、双方に多くの犠牲者を出した。しかしスペインの布教活動は、この地域にとどまり、他には影響を与えなかった。オセアニアでの本格的な布教活動は十八世紀末からで、ロンドン伝道協会がタヒチ島、トンガ諸島に宣教師を派遣してからである。以後十九世紀中頃までにイギリスやアメリカの宣教師により新教が伝えられ、多少、布教に実績をあげた。フランスのカトリックも十九世紀になると、入り込み、タヒチ島やニューカレドニアを獲得した、背後に海軍の支持があり、英仏間の緊張を招いた。

オセアニアの中で、ポリネシアでは、とくに身分的階層制が発達し、平民・貴族層の階層差も見られ、酋長国が対立し内戦も行われていた。そこへヨーロッパ人が関係するようになったので、その銃砲・弾薬と技術的援助が王国統一の正否を握ることになった。タヒチのポマレ王朝、ハワイのカメハメハ王朝、トンガのツボウ王朝、フィジーのサコンバウ王朝など、酋長間の内訌の末、統一王国の建設をみることになった。ヨーロッパ人の側がキリスト教の布教と貿易品の安定的供給のために特定の酋長を支援したからに他ならない。これら統一王国の財政的基盤をなしたのは、白檀、ナマコなどの輸出である。タヒチのポマレ王朝はニューサウスウエルズ（オーストラリア）とのブタの取引で、フィジーのサコンバウ王朝は中国への白檀・ナマコ貿易で財源を得た。ハワイのカメハメハ王朝では一八三〇年頃までは白檀、原木を切り尽し、三十年頃からは砂糖産業に代わった。

十九世紀後半になると、オセアニアの貿易品目はココヤシ、サトウキビ、コーヒー、ココアなどの熱帯農作物に変わった。さしたる投資をせずに利益を得られる、白檀、ナマコ、などの天然資源が枯渇したからである。この結果、これら熱帯農作物を栽培する農園が各地に開かれ、大がかりな土地の買い占めと労働者の強引な徴発が始まった。こうしてオセアニアも欧米からやってくる資本主義の外縁に巻き込まれることになる。これら農園は大量の労働者を必要とした。ブラックバーデン（奴隷狩り）と呼ばれる徴集人が活躍する場となった。たとえば、一八六〇年代から一九〇〇年代にかけて十万人の労働者がメラネシアからクイーンズランドとフィジーに送り込まれている。

流刑植民地

十八世紀後半から二十世紀にかけて、オセアニアでは原住民の人口が大幅に減少した。その一つの原因が、この奴隷狩りといわれる労働力の徴発の結果であった。ハワイ諸島では十八世紀後半約三〇万人いた人口が、十九世紀後半には約五万五〇〇〇人に減少した。サモア諸島では、十九世紀中頃四万六千万人であったのが、十九世紀後半には二万九千人に減ってしまった。労働力徴発の他に、白人との接触による天然痘、麻疹、梅毒のようなウイルス性伝染病やアルコール中毒の蔓延、部族間の内戦なども原因に挙げられる。ともあれ資本主義の波にまきこまれたことが、問題の根本をなす。

この原住民人口の減少に代わって、オセアニアに大量の白人と中国人、インド人、日本人などアジア人が流入する。白人の大量流入は、イギリスの流刑植民地オーストラリアとフランスの流刑植民地ニューカレドニアの存在が大きい。アジア人はプランテーションや鉱山の年季契約労働者として導入された。たとえば、ハワイでは砂糖きびのプランテーションを中心に日本人、朝鮮人、フィリピン人が十九世紀末から到着した。フィジーでは一九三六年までに総人口の約四二％が契約労働者としてのインド人が占めるにいたった。

原住民の減少と白人の大量流入の典型的な例はオーストラリアとニュージーランドである。

オーストラリアはイギリスがクックの探検したオーストラリア東海岸を一七八六年ニューサウスウェールズ植民地と宣言したことに始まる。一七八八年に初代総督としてアーサー＝フィリップが任命され、流刑囚七八〇名を率いてシドニーに上陸して以来、流刑植民地という特異な植民地として出発した。イギリスは死刑を免除する代わりに重罪犯をここに流し、強制的開拓に従事させた。十九世紀初頭、牧羊業の導入が成功して以来発展し、一八五〇年代のゴールドラッシュにより急発展した。本国からの自由移民も増え、開発が進むと、原住民のアボリジニーは砂漠化した内陸部へ追いやられ、一八世紀後半約三〇万人いた人口は二十世紀初頭には約五万人に激減した。その属領のタスマニアなどは凶悪犯の流された地で、その脱走者が島の原住民を殺戮し全滅させたほどである。

一方ニュージーランドは一八四〇年ワイタンギ条約により英領となってからも、原住民マオリの土地所有権は保障され、市民権を与えられたが、白人の持ち込んだ鉄砲による部族間抗争や白人入植者との土地紛争で、オーストラリアのアボリジニー同様、人口は一八三五年の三〇万五〇〇〇人から一八五七年の五万六〇〇〇人にまで減少した。

植民地化の完了

オセアニアの島々は十六世紀以後、西洋諸国が発見し、領有したが、相互に主権を争うことはなかった。交通が不便で、土地が狭く、統治が困難であり、利益が少ないと見たからだろう。それらの中でフランスは積極的に行動し、一八四二年にタヒチ、一八五三年にニューカレドニアを版図としたが、これに対してどの国からも大きな抗議はなされず、フランスの保護領宣言は重要視されなかった。イギリスはとくに消極的で、フィジー諸島で内乱のため、諸酋長がイギリスに保護を求めてきたが、躊躇し、十六年をへて一八七四年に至りようやく、主権下に入れた。ミクロネシアの如きは、十六世紀スペインによって発見されたが、十九世紀まで放置され、一八七五年ドイツ軍艦がマーシャル島に現れ、同諸島の占領を宣言するや、スペインは発見の権利を主張した。しかしスペインは米西戦争に敗れ、グアムとフィリピンをアメリカに譲り、それ以外のミクロネシア諸島をドイツに売却した。ドイツの急激な進出はイギリスと対立を呼び起こし、最終的に一八八六年の協約によって両国の境界線が確定し、ミクロネシアはほぼドイツ領となった。

こうして一九〇〇年までに英、仏、米、独の四列強によりオセアニアの植民地分割は完了したが、これらの植民地は領土の実効的支配というよりも、アフリカ、南米、南アジアと進んだ世界分割の流れの中で、領土的野心や国家威信の高揚のため植民地化されたものであった。

二十世紀に入ると四列強の他に、新たにオーストラリア、ニューギニア、そして日本が加わる。第一次大戦が勃発すると、オーストラリアはドイツ領ニューギニアを、ニュージーランドはドイツ領サモアを占拠した。日本はミクロネシアのマリアナ、カロリン、マーシャルなどの諸島を占領し、戦後、それぞれの占領地が国際連盟の委任統治領となった。ついで第二次大戦が終わると、ミクロネシアは日本からアメリカの委任統治領に代わり、メラネシアとポリネシアの多くの島々がイギリスからオーストラリア、ニュージーランドの支配へと変わった。

オセアニアの変容

植民地化により世界経済システムにまきこまれたオセアニアでは、プランテーション経営で土地を奪われ、出稼ぎを余儀なくされて、生活は貧しくなった。そのあげくアルコールに慰めを求め、伝統的な産業の農業や漁業を捨て、無気力に陥っていった。またキリスト教の布教はオセアニア人の神々を破壊し、伝統的信仰に基づく生活のシステムを変えていった。

しかし、このような欧米文化の支配に対して、土着の文化、生活を守ろうとする立場からカーゴカルトの運動が始まった。カーゴカルトとは船荷儀礼と訳され、祖先たちが復活し、いつか自分たちが働かなくてもよいような多くの船荷をもたらし、白人を駆逐するという一種のメシア信仰で、ニュージーランドにおけるマオリのハウハウ運動、ニューヘブリデス島のジョン・フラム運動、ソロモンのマーチング・ルール運動などが代表的である。

これらの運動はもちろん植民地当局により弾圧されたが、弾圧はかえって次の予言者を生みだし、しだいに部族を越えて、横の連帯をひろげ、民族主義や国民意識を芽生えさせることとなり独立の気運を醸成していった。

4　ラテンアメリカ

〔スペインの支配〕

ヨーロッパ人のラテンアメリカ征服の過程については、大航海時代で扱われ広く知られている。コルテス、ピサロの征服など数多くの発見・征服史に関しては、わが国では、かなり紹介されている。とくに増田義郎氏のものが、もっとも手頃な万人向けの啓蒙書である。ここでは、割愛して征服後の問題について触れる。

スペインのラテン・アメリカ支配はイスラム教徒をイベリア半島から一掃した国土回復運動（レコンキスタ）の延長であることを想起したい。スペインの支配は軍事的征服とキリスト教布教が車の両輪をなす如く一つの活動をなしていた。原住民インディオを徹底的にキリスト教化することが使命だった。その結果インディオの社会は破壊され、スペインに同化された。こういう点でスペインの支配は、イギリスやフランスさらには同系のポルトガルとも異なっていた。イギリスの植民地ではインディアンは絶滅されるか追放されるしかなかった。またポルトガルは王室もすでに弱体化しており、商業国家として東南アジアの香料貿易に力を注いでおり、アメリカ大陸の植民地についてはあまり熱心ではなかった。それに対し、スペインは民族的な使命感をもって植民地経営にあたり、インディオに対しては王と臣民という互恵的な関係で臨んだ。

〔エンコミエンダ制〕

この互恵的な関係を制度として表したのがエンコミエンダ制である。征服者（コンキタスドレス）はインディオを奴隷として扱い、重労働に酷使したが、イサベラ女王は原則的に否定的な態度をとっていた。彼女はインディオたちをスペイン王の臣下として扱い、キリスト教化し、その魂を救い、自由民として遇しようとした。それは植民者の希望と相容れなかった。彼らは征服の成果としてインディアンを奴隷として酷使しようとした。これに対し、王朝政府は一定数のインディアンを割り当て、その保護と教化を託する代わりに植民者が採掘、食料の生産などにインディオを使用する権利を認めた（エンコミエンダは託するという動詞からでた名詞である）。その際、あくまでもインディオの労働力の使用権だけを認め、土地の保有権はすべて国王に帰属させようとした。これは、植民者とインディオの間の互恵的な関係を前提としている。

しかし実際には、権利のみ行使してインディオを酷使し、保護教化、労賃支払などの義務を怠る場合が多かった。かれらは、土木作業、農耕、鉱山採掘にインディオを使役し、農作物や織物や狩猟の獲物や燃料などを納めさせ、命令をきかない者、課せられた品物を納入しない者を監禁し、鞭打ち、犬をけしかけ、ひどい場台には殺した。これらエンコミエンダ経営者、政府の代官、時には司祭などからも虐待を受けたインディオは、コカやアルコール飲料に救いを求めた。「早寝、早起きは健康、財産と知性を手に入れる道」という北米の格言はここでは、過酷な労働を意味した。

〔インディオの人口激減〕

これらスペイン人の虐待の結果、インディオの人口は急激に減少していった。メキシコ中央高原盆地（アステカ帝国の故地）では、スペイン人侵入直前の総人口は約一五〇〇万人であったが、一六五〇年頃には七万人の五％弱に減少、中央アンデス地方（インカ帝国の故地）では、インカ時代末期に約一一五五万人いた人口は、征服後の一五七〇年頃には一五〇万人の一二％に減っていた。この人口激減はスペイン人の労働力徴発と酷使のみに原因するものではない。他の大きな原因としてスペイン人がヨーロッパから持ち込んだ病気がある。天然痘、はしか、チフス、インフルエンザなどが次々と猛威をふるい、抵抗力を持たないインディオの身体をむしばんだ。劣悪な労働条件がこれに加わり、インディオの寿命を縮めた。

人口減少の中でもっとも劇的であったのは、西インド諸島である。その内、原住民人口がもっとも早く絶滅したのはバハマ諸島である。一五一三年頃までに、インディオはひとりもいなくなったといわれる。同じことは、まもなくエスパニョラ、キューバなど大アンティール諸島でもおこった。イギリスやフランスやオランダがスペインから奪った小アンティール諸島とともに、それに代る労働力としてアフリカから多数の黒人を運んでくる。その他、中央アメリカの南部や南アメリカ南部、アマゾン川やオリノコ川流域の熱帯低地等に居住していたインディオはスペイン人やポルトガル人の征服により、アルゼンチンやチリでは、十九世紀後半の征討により、絶滅あるいは辺境へと駆逐されてしまった。

これらの地域のインディオ社会が簡単に崩壊した背景には、メソアメリカや中央アンデスに見られたような高度な文明が発達しておらず、社会の構造も単純であったことが挙げられる。カリブ海諸島や中央アメリカ南部の社会はすでに農耕が始まっており、また部族を治め、祭祀を司さどる首長や貴族層のいる首長制社会であったが、メキシコやペルーのような高い農業生産力に支えられた複雑な成層組織を持った社会に比べると、単純で農業の集約度も低く、人口も少なかった。したがって、外圧に弱く、簡単に解体する脆弱さがあった。アマゾンの熱帯低地やブラジル南部のラプラタ地方に至っては、農業以前の狩猟や採集社会で、原始的な生活をしており、人口も稀薄であったため、あっけなく滅んでしまった。この結果、中央アフリカ南部コスタリカや南米南部のウルグアイやアルゼンチンでは例外的な白人国家となった。その他の地域は原住民の激滅のあと、混血のメスティーソや黒人で占めるようになった。

〔王室の征服者コントロール〕

インディオの酷使と減少が顕著になると、王室は保護にのりだした。その背景にはインディオの虐待に抗議するドミニコ教団の存在があった。なかでもラス=カサスは有名で、インディオ虐待の非を指摘し、生涯にわたってエンコミエンダ廃止に献身的な努力を払った。

王室の方でもエンコミエンダ制の拡大は、コントロールのきかない封建貴族層を植民地につくりだすと考えるようになり、それを抑制する法的措置を次々講ずるようになった。王朝政府は機会あるごとにエンコミエンダの認可取消しを行い、一五三六年には、その権利を一代に限る法令を出した。一五四九年には、インディオの労働力を税として徴発する賦役は禁止された。

その一方、植民地行政機関を着々と整備し、植民地の直接統治にのりだした。エンコミエンダを縮小して王室直轄領を増やし、代官制度が導入された。征服者に代わって王室の官吏が徴税の任にあたった。もっとも代官の腐敗も甚だしかったので、インディオにとっては重税の苦しみはエンコミエンダ制とたいして変らなかった。

〔精神的征撤〕

スペイン・ポルトガルによるラテンアメリカ征服は、キリスト教の布教と一体をなしていた。コルテス、ピサロなどコンキスタドレスの武力による征服に対して、これを精神的征服と呼んでいる。スペイン国王は一四九三年教書でローマ教皇より新大陸の福音伝道を義務づけられ、伝道活動の特権を得た。司祭たちは、主に都会化した地方の住民の宗教行事で忙しかったので、原住民教化は修道院教団の修道士の仕事となった。フランシスコ派、ドミニコ派など各派の修道士が布教活動したが、やがてイエズス会による活動がもっとも活発になり、アメリカ布教の中心となる。

イエズス宣教師たちは、アンデスを越え、アマゾンの奥地にまで入りこみ、インディオの部落を探し求めてキリスト教の拡大に努めた。かれらは、単にキリストの教えを説くだけでなく、生産活動や生活の指導まで徹底的に行い、インディオの生活向上に尽した。しかしエンコミエンダの経営にあたる征服者や本国政府の代官たちは、インディオを奴隷としか見ない。宣教師たちは、インディオを守るために代官や総督と戦い、ときには国王や教皇に直訴さえした。イエズス会の活躍を羨む他の教団の反感も激しくなった。こうしたことが重って、イエズス会の宣教師は、一七六七年勅令で、新大陸から追放された。

今日、政治的混乱の続くラテンアメリカ各地で「解放の神学」に基づき、闘う聖職者は、この宣教師の姿勢を受け継ぐものである。

〔インディオ側の対応〕

ヨーロッパ、とくにスペイン人による侵略に対して、インディオは決して無抵抗であったわけではない。侵略に対して頑強に抵抗したし、侵略が一段落したのちも植民地時代を通じて絶えず反乱が起こっている。十八世紀には最大規模の反乱としてトゥパック＝アマルの反乱がある。いずれもその多くは首長層から起こっている。代官の悪政、王室の中央集権政策などに対して立ち上がり、村や町々の浮浪民となっているインディオを吸収し、千年王国的な民衆運動へと発展させている。これら原住民インディオの反乱は植民地支配体制の危機を表していたが、即発的、地方的であり、充分な戦略、組織、軍備を欠いていたため、しだいに制圧されていった。しかし、そのエネルギーは伏流となって潜行し、十九世紀の独立戦争のとき爆発する。

宗教の面では、カトリック教を強制され、集落や都市のある所では、集団的に改宗させられたが、アステカやインカ以来の自分たちの信仰は捨てなかった。集団洗礼に対し無抵抗に受けいれたが、在来の神々への信仰はそのまま続けられた。アステカやインカ帝国の宗教体系には、キリスト教と相似の因子が多々あった。洗礼、告白、聖体拝受、尼僧の制度、聖地巡礼などがそうであり、ビラコチャやパチャカマなどの創造神がキリスト教の創造神と混同された。インディオの神々がキリスト教の神や聖人と同一視され、すんなりキリスト教に入信したが、真にキリスト教を信仰したわけではない。カトリック教会では、やがてそのことに気付き、異端裁判官が派遣され、インディオの邪教取り締まりが始まるが、徒労に終わった。本気にやったら、全インディオがこれに該当し、裁ききれるものではないことがわかったからである。これ以後、インディオの信仰は邪教と区別して、迷信とみなされ、その信仰は放置された。インディオは教会でミサを受けたあと、祖先から伝わるワカに礼拝した。また、インカやマヤ以来の踊りや祭りをすることも黙認された。現在では、司祭はミサをあげるとさっさと帰ってしまう。祭りはそれからが本格的になる。

こうしてインディオはキリスト教と混在したまま民族の宗教を守リ通してきた。宗教のみでなく言語の保持もそれに劣らず行われ、またスペイン人のもたらした貨幣経済や賦役や税の徴集に対抗し、在来の経済的自給自足や相互扶助、集団労働を維持しようとした。それらはインカやマヤ以前からあったものであるが、インディオはそれらを植民地体制へ適応させようとした。一方スペイン人も村落共同体を基礎とする原住民社会を存続させ、その首長を通じて原住民社会をスペインの統治機構に組み込もうとした。

当時の格言に「従うけれど履行せず」というのがあるが、スペインの植民地体制の中でインディオは、それに従えば生活が苦しくなる。従わなければ罰せられるという条件の中で考え出したことは、従うふりをして実行しないという対処の方法であった。今日ラテンアメリカ人は約束を守らないとか、嘘をつくとか言われるが、これは民族的というよりも歴史的に形成されたものである。

〔スペイン人の理想郷建設〕

スペイン人の植民事業は、一面からすれば、かれらの理想とする社会の建設でもあった。初期の植民者には、エラスムスの影響を受けた人文主義者が数多くおり、トマス＝モアの「ユートピア」を新世界に実現しようと意気込んだ人もいた。なかでもイエズス会の僧侶は熱心であり、インディオを居住地から引き離して一ケ所に集めて定住させ、農耕を中心とした自給自足を営ませた。典型的なものはパラグアイのイエズス会教会で、インディオを定住させ、教会、学校、工場を作らせ、牧場の集団経営に参加させ隆盛を極めた。約一五〇年間も続きイエズス会王国と呼ばれるほどであった。

スペイン人の理想郷は農村よりもむしろ都市において遺憾なく発揮された。中央に広場を設け、その周囲を教会や役所などが囲みチェス盤のように規則正しく街路をひく、有力者ほど中央に近い所に住むという中央集権を象徴した都市計画は、スペイン本国では稀であり、新大陸で独自に発達したもので、かれらの都市の理想を反映したものであった。ヨーロッパで衰えつつあったゴシックと興りつつあったルネサンス様式の混合した新しい建物が次々と作られ、今日ラテンアメリカのどこにも見られる都市の原型が誕生した。

〔人種の混合〕

ラテンアメリカの歴史が北アメリカの合衆国の歴史と根本的に異なるところは、大規模な血の混合であった。スペイン人は原住民を征服しても、かれらを隔絶して支配するという形はとらなかった。人種的、宗教的、文化的にも積極的に同化させていく方針をとった。その結果、白人、インディオ、黒人相互の間に多数の混血が生まれ、スペイン語とローマカトリック教を共通にする融合集団が形成された。

その背景として、新大陸へ渡ったスペイン人は圧倒的に独身の男子であったから、原住民と交わらなかったのはコロンブスだけだとか言われるほど、早くから原住民女性と関係し混血が繰り返されてきたこと、またイベリアの人は古代以来、フェニキア、カルタゴ、ケルト、ユダヤ、ローマ、ゲルマン、アラビアと様々な異民族と交わりを持った歴史から、人種的偏見を持たなかったことなどが挙げられる。

混血は、メスティーソ（スペイン人とインディオ）、ムラート（スペイン人と黒人）、サンボ（黒人とインディオ）に大別されるが、混血は時代が進むにつれ、多様化し、地方によって、さまざまな名称を生んだ。スペイン当局は文化的同化政策を推し進めたが、スペイン人は血筋や身分を重視したため、植民地社会にはカースト的社会が出現した。言うまでもなく、その上層にいたのは、スペイン人であり、かれらは本国における貴族、平民に関係なくスペイン人であるだけで特権的身分に属することができた。それ以外のインディオ、黒人、混血者は「カスタ」と総称されて、スペイン人から区別された。カスタの中では、スペイン人の血の割合の高いほど社会的地位も高かった。したがって、植民地社会の下層は、原住民のインディオと奴隷として酷使されていた黒人であった。

しかしカースト社会といっても、インドのように族内婚と職業の世襲を原則とする、生まれつきの身分集団よりなる閉鎖的なものではない。異なるカスタ間の通婚は可能で、メスティーソやムラートでも白人の血が八分の七になれば、白人として認められるので、カスタ間の移動は可能であった。その点で、一滴でも黒人の血が入れば、白人として認めない北アメリカの人種観とも異なっていた。

カスタの中では、とくにメスティーソは、身分的にも社会的にも不安定な存在であった。征服者の時代は、白人は独身の男性しかいなかったが、植民地社会が安定し、軌道に乗り出すと本国から女性も渡来するようになった。男たちは、結婚相手に白人女性を選び、インディオの女性は私通の対象にしかすぎなくなった。インディオの女性と結婚するのはごく貧しいスペイン人に限られるようになった。このような状況になるとメスティーソすなわち私生児という偏見が一般的になる。メスティーソはスペイン社会から疎外されればかりでなく、父親のいないインディオ社会にも属することもできず根なし草のような存在となった。十八世紀頻発したインディオの反乱の多くは、底辺のインディオから起こったものでなく、地方の首長クラスのメスティーソが指導したものであった。メスティーソが階級としての自覚を高め、社会的、経済的に上昇しようと志向すると、植民地の体制が障害となり、植民地支配の末端である代官に対して暴動に及んだものである。

〔黒人奴隷〕

スペイン・ポルトガルの白人に次いで、アメリカ大陸にやってきた外国人は、アフリカの黒人である。かれらは、初めから奴隷として扱われ、アフリカ大陸から連行されてきたものである。黒人奴隷が多かったのは、ブラジルやカリブ海の島々など大西洋側のラテンアメリカである。十六世紀に入ると、スペインの植民地経営の中心は初期の貴金属採掘から砂糖プランテーションへと移る。砂糖革命は大量の安価な労働力が求められたが、この地域の原住民であるインディオはスペイン人の酷使によって、人口が激減し、需要に応じられなかった。スペイン人聖職者ラス・カサスのインディオ虐待に反対する人道主義的主張もあって、他に労働力供給を求めた。金鉱をめざして大西洋を渡る白人の年季奉行人も用いられたが、とうてい需要を満たすものではなかった。かくてここに目をつけられたのが、アフリカの黒人奴隷であった。

アフリカ人は熱帯地方の気候に慣れており、性格もおとなしかったから労働力源として重宝がられた。新大陸へ運ばれた黒人は一〇〇〇万人以上といわれるが、その八〇％以上が十八世紀から十九世紀半ばに集中するとともに、三六％がブラジルに四二％がカリブ海地方に強制連行され、これらの地方の砂糖生産の黄金時代形成に貢献したのである。

アングロ・アメリカ（アメリカ合衆国）の奴隷制では、奴隷を人格的存在として認めず主人の財産として扱われたが、ラテンアメリカでは、非道な待遇を受けた場合、主人を取り替えることが認められ、結婚も自由で、金さえあれば、自由を買うことができた。しかし女性や子供は別として成人の男子が解放されることは少なく、また自由になっても、社会の最下層の生活に甘んぜざるをえなかった。

農園の過酷な労働に苦しむ黒人奴隷は仮病、サボり、逃亡などで自己防衛を図った。アメリカ大陸に連行された黒人の多くは、西アフリカのイスラム化して文化程度のかなり高い地域から来たもので、優秀な者は組織力に長じていたから、逃亡奴隷は徒党を組んで反乱を起こしたり、奥地に秘密の植民地をつくったりしてスペイン人にとって脅威となった。

〔ブラジルの開発〕

カリブ海地域と並んで、黒人奴隷がさかんに用いられたのは、ブラジルである。ブラジルは一五〇〇年カブラルによって発見された。そこで、当時、商品として利用できるものはパウ・ブラジルしかなかった。パウ・ブラジルは赤い（ブラジル－国名となる）、木（パウ）で、赤色染料がとれた。ポルトガルの植民地活動は、スペインの大陸征服型に対し、交易膨張型であり、交易地を拠点に貿易・商業活動に力を注いでいた。したがって、貿易資源の少ないブラジルはあまり魅力がなく、またインド貿易の確保と維持に力を入れていて、ブラジルまで手がまわらなかった。そのためフランスやオランダ人などは防衛の弱い無人の海岸に侵入し、パウ・ブラジルを盗みとっていた。そこで侵略の危険を察知したポルトガル当局はブラジル全土を功績あった貴族十二名に分割してその統治と土地使用権を与え、これまでパウ・プラジルを切りだすだけであったブラジルを彼らに開発・植民させることにした。これをカピタニア制度という。

しかし当時ポルトガルは人口二百万たらずで、めぼしい男子はアフリカ征服やインド貿易に従事して帰ってこない者が多く、人不足であった。だからブラジルくんだりまでやってくる者は流刑者や犯罪人か、宗教上の迫害を逃れてきたユダヤ人ぐらいしかいなかった。カピタニア制度はたちまち行詰まってしまう。これに代って、一五四九年、総督が置かれる。国家が直接、開拓・植民に乗出さざるをえなくなったのだ。総督政治になってからも、しばらくは移住希望者は少なく、犯罪人がしきりに送られ、ためにポルトガルの監獄は、からになったこともあるぐらいであった。

しかしこのような事態を一変させたのはサトウキビの栽培であった。十六世紀よりヨーロッパで砂糖需要が激増し、サトウキビのプランテーションが盛んになった。サトウキビの収穫と精製には大量の労働力を必要としたので、原住民のインディオを捕えて男は労働に使い、女は植民者の妾代りの召使とした。だがインディオは過酷な労働や免疫のない伝染病で次々倒れ、また逃亡や反抗を繰り返した。そこでポルトガル人はより従順で、環境に同化しやすく、体質的にも頑健なアフリカ大陸の黒人を強制輸入することになったのである。ポルトガル人は黒人の密集地城の西南アフリカ、コンゴやアンゴラ地方を獲得し、黒人狩りと奴隷輸出を組織的に行った。これによりブラジルの砂糖生産は景気づき、めざましい発展を遂げる。

〔異種文化の融合〕

ラテンアメリカでは、血の融合が進み、人種のるつぼが形成された。それと同時に民族の文化も互に影響を及ぼしあい、異種文化の融合を見るようになった。ただし、文化の融合といっても、基軸はスペイン文化などヨーロッパ・白人文化で、その言語と教会は揺るぎない基礎を据えている。インディオや黒人は、支配的な白人・ヨーロッパ文化を表面的にせよ受容して、それらに自分たちの文化を融合・混合させてシンクレティズムと呼ばれる文化の重層的な混交を生みだしたのである。あたかも、〃人種の坩堝〃というが、コーヒー色などという坩堝現象は案外少なく、各人種の併存しているモザイク状態が多いことと対応している。

たとえばバロック様式の教会や邸宅はしばしばインディオのモチーフを混入させていた。また、インディオの農民はインカ時代の石の階段を利用し、ジャガイモやトウモロコシだけでなく、ヨーロッパ人がもたらした小麦や米を栽培した。医療では、マヤ以来の魔法医が今なお頼りとされ、辺地では高い地位を与えられ、近代医学と共存しながら治療に当たっている。メキシコ人の食卓では、パンとともにメキシコ原産のトルティーヤが主食となっており、竜舌蘭からとるテキーラはメキシコ人になくてはならぬ酒である。

宗教におけるインディオ文化とスペイン文化混交の有名な例は、メキシコ市グアダルーへの聖母である。ディエゴと言う信心深いインディオの前に褐色の肌をした聖母マリアが現われたという話で、その場所に寺院が建てられ、国中はおろかラテンアメリカ全土から巡礼が集まってくる。マリアが現われた丘はアステカの大地の母神トナンツィンを祀っていたところであり、土着宗教とキリスト教の混交を見ることができる。

ペルーの山岳地帯のインディオの村には、コンドルの登場する珍しい闘牛がある。言うまでもなく闘牛はスペイン人が持ち込んだもので、牛は侵略者スペインの象徴で、牛に攻撃を加えるコンドルはインカの聖鳥で、侵略された側のインディオを意味すると言われる。

〔アフリカ文化との融合〕

カリブ海地城は、スペインの植民地であったが、十七世紀にヨーロッパ列強の攻撃と侵入を受ける。その結果、大アンティール諸島では、ジャマイカなどがイギリスに占領され、フランスも小アンティール諸島の十四島を手に入れ、ヒスパニオラ島（ハイチ）を占領する。これらの島々では、征服から半世紀後に原住民は絶滅していたので、それに代わる労働力としてアフリカから多教の黒人が連行される。西インド諸島の黒人は、主にアフリカ西海岸から連行された。黄金海岸から英領諸島へはアシャンティ族、イボ族など、ペニンから仏領諸島へ、フォン族、ナイジェリアから旧スペイン領諸島へヨルバ族などが多かった。カリブ海文化を特徴づけたのは、これらのアフリカ西海岸の部族であった。かれらは表面的にはヨーロッパの白人の文化や価値観に合わせたが、これらに自分達アフリカの文化を融合させて、独特のカリブ海文化をつくりあげていった。

宗教では、ハイチのブードウー、キューバのサンテリア（ヨルバ）、トリニダードのシャンゴなどの宗教が旧フランス、スペイン領で信じられていた。アフリカの部族信仰にカトリックの影響が加わったものである。アフリカ色が濃厚で、神はカソリックの聖徒と重ね合わされているが、神への奉仕方法、宗教様式はアフリカの信仰そのままであった。

一方、プロテスタントの優勢なジャマイカでは、合衆国南部から伝わったバプテスト派が黒人に受容されてアフリカ化され、一八六〇年代からグレート・リバイバリズムの呼び名で知られる運動となってジャマイカを席巻した。アフリカの守護霊がジャマイカの川にも住み、洗礼の儀式が強力な霊(キリスト教の聖霊と同一視された)を授けると信じられ、アフリカ宗教の水洗儀式に類似していることなどから黒人に共鳴感を与えた。

ジャマイカには、一九三〇年代に生まれた、アフリカ文化への回帰と黒人の復権を強調するラスタファアリ運動もある。黒人選民思想、捕囚の地としてのジャマイカの悲惨、アフリカにおける約束された未来などを特色とする。

これらアフリカニズムと融合したキリスト教は黒人の奴隷解放の反乱や独立の武器となった。反乱のリーダーは教会のリーダーでもあった。一七九一年ハイチにおける反乱、続く一八〇四年の独立は、ブードウーの儀式の間で誓いがたてられ、祭司に率いられて自由を獲得したものである。

宗教と密接な関係にあるのが音楽と舞踏である。アフリカの精霊信仰や祖霊崇拝の儀式の中心となったのは、ドラムと舞踏であったが、キリスト教との融合が行われても失われなかったのは、ドラムと舞踏であった。どの宗教儀式にも共通しているのは、円形舞踏、呼応形式の歌、トランス（恍惚）からポゼッション（憑依）の動作、ドラムを中心とした演奏とポリリズム（異なったリズムを同時に演奏する）である。賛美歌は黒人の真の喜び・哀しみを唄う言葉となり、楽器はピアノやオルガンに取って代わって、足踏み、手拍子、のちにはタンバリン、カスタネットを始め、打楽器、体鳴楽器が活躍し、アフリカ的なリズムを表現した。これらカリブ・アフリカ音楽にヨーロッパの楽器や洗練性を加えられて、ジャマイカのレゲエ、キューバのルンバやマンボ、チャチャチャ、ドミニカのメレンゲ、トリニダードのカプリソなどが誕生し世界的に有名になった。

第６章　南の目覚め

―独立とナショナリズム―

1　アフリカ

第二次大戦後、ヨーロッパ本国のアフリカ植民地への投資がにわかに増えた。イギリスなどは大戦前は一世紀間に百億ポンドにすぎなかったが、大戦後のわずか十年間に六五億ポンドを投資した。経済の活況は賃金労働者を多く生むこととなった。それに伴い労働運動が盛んになった。住民の多数が農民や牧畜民であるアフリカにおいて、政治意識を高める上で、労働組合運動の果たした役割は大きかった。また第二次大戦に連合軍の一員として多数のアフリカ人が従軍した。かれらは世界を見聞し、白人が同じただの人間にすぎないことを知り、復員後、民族独立の運動に活躍し大きな影響を与えた。

大戦前、パン・アフリカ会議が四回開かれているが、自治要求の枠を出なかった。それが一九四五年にマンチェスターで開催された第五回では、初めて植民地アフリカ独立の要求が出された。それというのも、この会議から主導権がアフリカ人に移り、インテリ層から労働組合運動や政党の代表がリーダーシップをとるようになったからである。独立への大きな力になったのは何よりも政党の出現に負うところが大きかった。大戦直後、各地に政党ないし国民連合のような組織が生まれた。ナイジェリアおよびカメルーン国民会議、ケニア・アフリカ人同盟、アフリカ民主会議（仏領西及び赤道アフリカ）などがそれである。これらの政党の多くは、植民地本国に独立要求を行った。一九五五年インドネシアで開かれたバンドン会議は独立運動の気運をいっそう高めた。

こういう動きに対し、植民地当局は条件付きで政治参加を許すことで、この動きを鎮静化させようとしたが、かえって独立の要求に油を注ぐことになった。なかでもイギリスの模範的植民地といわれたゴールドコーストでは、自治にはほど遠い制限付き政治参加を与えたにすぎなかったので、これを不満として一九四七年、ンクルマを書記長とする統一ゴールドコースト会議が結成された。翌四八年、大戦後の生活苦と物価高に抗議して、復員兵によるデモが組織されたが、当局側の弾圧により死者が出たことで暴動となった。イギリス当局は憲法改正を発表し収めようとしたが、ンクルマは即時自治をスローガンとする会議人民党を結成し、ゼネストを指令した。イギリスはンクルマら指導部を逮捕した。しかし一九五一年の選挙では会議人民党は圧勝し、ンクルマを釈放せざるを得なくなった。ンクルマは総選挙での圧倒的支持を背景にイギリスと交渉を続け、ついに独立を勝ち取った。サハラ以南のブラックアフリカでは最初の独立国となり、古代の帝国の名をとってガーナと命名された。以後続々と独立が行われ、一九五八年にはギニアがフランス領最初の独立国となった。一九六〇年はアフリカの年と言われ、コンゴ（ザイール）、ナイジェリア、ソマリア、ニジェール、チャドなど十七ヵ国が独立した。

独立が続くなかで、これらアフリカ諸国の連帯をはかる気運が盛り上がり、ンクルマの提唱で、一九五八年にガーナのアクラで第一回アフリカ独立国会議が開かれた。これらアフリカ諸国の間には、その後コンゴ動乱をめぐって、穏健派と急進派の対立が生まれたが、エチオピア皇帝ハイレ・セラシエ一世の努力により調停が図られ、その結果として一九六三年エチオピアのアジス・アベバで三十諸国の代表が集まり、統一会議がなされ、アフリカ統一機構（ＯＡＵ）の設置が決定された

2　東南アジア

十九世紀後半以降の植民地支配の深化の中で、ナショナリズムが醸成されていく。その担い手は、西欧式教育を受けた知識階級であった。植民地当局は、植民地政府の官僚として登用するためあるいはヨーロッパ企業の従業員として用いるため、大学教育や本国留学を通じて原住民の青年に近代教育を施した。かれらは植民地社会に奉仕するとともに、一方ではその批判者に育っていった。民族運動の担い手はこれら近代教育を受けた層から出たのである。これら知識階級によるナショナリズムはまず民族の覚醒を促す文化運動として始まった。

ベトナムの志士ファン・ボイ・チャウが維新会を結成して「日本へ行け」のスローガンの下に東遊運動を起こしたこと、あるいは、ジャワの医師ワヒディンによって始められた、教育の振興と社会生活の改善をめざすブディ・ウトモ（最高の英知）の運動などその一例である。民族の自覚をよびさます初期のこうした啓豪運動を出発点として、民族運動は植民地支配の改良を求める運動、ついで自治権を要求する運動、最後に独立をめざすナショナリズムへと発展する。

民族運動が独立に向けての政治運動へと傾斜するに従って、さまざまな結社が生まれ、やがて全国的な組織が結成される。そこには諸分派を巧みに統合するカリスマ的指導者が現われる。インドネシアのスカルノ、ベトナムのホーチミン、ビルマのアウンサンなどがその典型であった。独立運動の理論的支柱としては、外来のものと、土着のものとがあった。外来のものとしては、共産主義、土着のものとしては、イスラムや仏教思想などが挙げられる。インドネシア共産党、インドシナ共産党は前者の例であり、イスラム同盟やビルマ仏教青年会は後者の例である。

しかし、初期の反植民地闘争には、これら知識階級とは無縁な伝統的な農村を基盤とした呪術的、復古的な運動が数多く起こった。それは、欧米諸国の近代主義を隠れ蓑とした植民地支配に対抗するため本能的に伝統に回帰し、前近代を挺子として植民地当局に立ち向かった運動であった。そうした例として一八九〇年頃ジャワの一農民サミンが起こしたサミン運動(原始共同体への復帰を理想とし、伝統的倫理規範に立って、賦役・賦税を拒否し植民地行政に対抗した)、一九三〇年ビルマでもと僧侶で呪術をよくするサヤサンが入墨の呪力で砲弾も飛び散らすことができると説き、イギリス支配に抵抗したサヤサンの乱などがある。

こうした土着性の強い、一揆的な闘争に対し、第二次大戦期に入ると民族運動は後期に入り、全国的な政治組織がつくられ、植民地支配の根本的変革を求める本格的な独立運動へと発展する。そしてこれらの民族独立運動は、日本軍政下に力を蓄え、日本の敗戦後独立を達成していく。

3　オセアニア

一九六〇年代から七〇年代にかけて、多くのオセアニアで独立が見られた。一九六二年の西サモアから始まり、一九八六年のマーシャル諸島、ミクロネシア連邦、一九九四年のパラオに至るまでポリネシア、メラネシア、ミクロネシアの順に行われた。これらは多くは英連邦（イギリス、オーストラリア、ニュージーランド）からの独立であった。これは大英帝国の斜陽化とともに、経済利益が上がらず、維持費ばかり増え、戦後、途上国への援助が一般化していくなかで未開発のまま放置しておけなくなり手放していったのが実状でいずれも平和裡に行われた。独立後は、主体的に勝ち取られた独立でないため、国家としての結束力が弱く旧宗主国への依存度が強い。

オセアニアの中でいまだ独立していない島も多い。ミクロネシアのグアム島、マリアナ諸島はアメリカ合衆国の海外領であり、タヒチ島を中心とするフランス領ポリネシア、ニューカレドニアなどはフランス領、クリスマス島、ノーフォク島などはオーストラリア領、ニウエ、トケラウはニュージーランド領である。

この他、外交や防衛などの権限を他国に委ねる自由連合国がある。ミクロネシアのパラオ、ミクロネシア連邦、マーシャル諸島はアメリカ合衆国と連合を組み、クック諸島、ニウエはニュージーランドと組む。これらの諸国は、本国や連合相手国による経済援助があり、比較的富んでいる。そのため、独立より、自由連合や属領であることを望む国民も多い。

ミクロネシアは国連によりアメリカの戦略地区指定を受けた。またミクロネシアとポリネシア環礁では、戦後核実験がアメリカとフランスなどにより行われたが、オセアニアはこのように第二次大戦後は軍事的目的で利用されている面がある。

4　ラテンアメリカ

十九世紀に入ると、啓蒙思想やフランス革命に影響されて、植民地体制を打破し、本国より独立しようという動きが活発となる。その担い手となったのは、植民地生まれの白人クリオーリョであり、インディオとの混血者メスティソを引き込んで闘った。クリオーリョは、いわば土着化した白人であり、金持ちになることはできたが、高い官職には就けなかった。植民地政府は移住は奨励したが、植民者が権力を握り、本国に対抗するようになることを警戒し、副王や総督など植民地政府の高官は、本国人から選んだからである。クリオーリョの上層は、植民地経済に寄生して財をなした大地主、鉱山主、大商人などであったので、クリオーリョの本国人に対する妬みは激しかった。

また植民地経済の担い手として、植民地当局の本国中心の重商主義政策はかれらの活動の足枷となった。たとえば、一五九五年以降、葡萄栽培は拡大できないことになったが、それはスペイン本国のワイン製造と競合しないためにとった政策であった。関税なども、本国の産業を保護するために苛酷を極めた。農業と畜産は無視され、鉱産物が優先された。アルゼンチンやヴェネズエラのような辺境が活発な独立運動の中心となったのはそのためであった。

このようにクリオーリョは、本国の政策に反感を持っていたが、他方では、経済力や社会的地位をもつ植民地社会の支配層として、民衆の革命化には警戒的であった。植民地時代末期にペルーでインカの子孫のトゥパック・アマルがインディオを率いて大反乱を起した。この時クリオーリョたちは、民衆の蜂起に恐怖して、かれらと組んで反抗するどころか、本国側について弾圧を行なった。かれらが、民衆を支配し富や社会的地位を維持しえたのは、本国政府の権威や軍事力の庇護があったからにほかならない。したがって、かれらのこのような本国政府に対する批判や不満はそのままでは、独立運動には結びつかなかった。

十九世紀前半におけるラテンアメリカの独立運動は、植民地社会の各階層の不満と緊張がアメリカ合衆国の独立、フランス革命、それに続くナポレオンのスペイン侵略、本国政府の植民地支配の弛緩という外的条件に誘発されて起こったものである。

〔ハイチの独立〕

ラテンアメリカの中でもっとも早く独立したのは、ハイチである。アメリカ大陸では、合衆国に次いで二番目の国として一八〇四年独立した。

コロンブスによって発見されたスペイン領エスパニョーラ島はその西部は、一七七七年フランスに割譲され、仏領サン・ドマング（サン・ドミング）となっていた。フランスは多数のアフリカ人奴隷を導入し、砂糖、コーヒー、棉花、藍のプランテーションの開発に努めた結果、砂糖の輸出において、主要産地であったバルバドスやジャマイカを凌ぎ、フランスにとって「カリブ海の宝石」と言われるほどの繁栄ぶりであった。

しかし、植民者である白人の大農園主の富裕な暮らしとは対称的に、その犠牲となったり、社会的不平等を押しつけられた黒人奴隷や混血（カスタ）の不満は大きく、フランス革命の影響を受けて反乱を起こした。混血や奴隷にも人権宣言を適用し、投票権を与えるか否かは、植民地議会に任されたが、白人農園主はこれを拒否したからである。白人植民者はイギリスに支援を求めたが、イギリス軍は黒人の革命軍に敗れる。ついで共和制政府に変わったナポレオンも北米のルイジアナに跨がる植民帝国を夢見て二万の軍隊を派遣したが、黄熱病の猛威にさらされ敗退した。世界史上初の黒人共和国の誕生である。

国名は原住民に使われた言葉をとってハイチとした。この独立の混乱で、砂糖による繁栄はキューバに奪われる。そのキューバが十九紀初め、プエルトリコとともに独立をしなかった背景には、独立してスペイン本国の軍事力の支えを失った場合、奴隷の反乱を押さえるだけの自信がなく、ハイチの二の舞を恐れたからだといわれる。

〔中米・南米の独立〕

ナポレオン戦争はラテンアメリカへ大きな影響を与える。一八〇七年ナポレオンのポルトガル占領により、ポルトガルの王室はブラジルへ脱出する。政府と王室がブラジルに移され、ポルトガル王国がブラジルに移転したことになった。その後1821年に、ナポレオンが倒れると、ポルトガル国王のジョアン6世は本国に戻り、息子のドン＝ペドロを摂政としてブラジルに残した。ブラジルの白人クリオーリョ（大土地所有者や資本家）たちは、ドン＝ペドロを押し立てて、翌1821年ブラジル帝国として独立宣言した。ブラジル独立は、無血で達成された。皇帝ペドロ1世は1824年に欽定憲法を制定して立憲君主国となった。

一八〇八年には、ナポレオンの軍隊はスペインを占領する。スペイン王のカルロス四世は退位し、王朝は消滅した。それにともなって、植民地での王室官憲の権威が失墜する。しかし白人クリオーリョの対応は復雑で、多くの場合、ナポレオンによって幽閉されている国王フェルディナンド七世への忠誠を表わし、スペイン帝国内へ留まりながら、本国人の現地官憲を否定するという「仮面の忠誠」を装った。一八二〇年代植民地各地にできた臨時政府はいずれもフェルディナンド七世の名においてつくられたものであった。

一部のクリオーリョは、現地官憲の権威否定のみでなく、一歩進んで独立運動へと向かった。根無し草としての悲哀を味わっていたメスティーソ、サンボなど混血も階級としての連帯感を強め、独立運動へ望みを託して参加した。

クリオーリョの間には、仮面の忠誠を表明し臨時政府をつくった自治派と急進的な独立派に分かれ、また独立派の中にも内部抗争が続いていた。しかし、ナポレオン戦争が終わり、一八一四年、国王フェルディナンド七世が復位すると植民地の自治を認めず、独立運動の鎮圧に乗り出し、過去三世紀を通じて最大規模の遠征軍を派遣してくるや、事態はやや変化する。それに対する反感が、クリオーリョたちを独立へと向かわせる。

一八一六年、現在のアルゼンチン、パラグアイ、ウルグアイの代表がラプラタ諸邦連合の独立を宣言する。ついでラプラタ出身の指導者サン・マルティンは軍事行動でペルーとチリを解放する。チリ、ペルーはスペイン政府の副王が拠点とするところである。人口の大部分はインディオや黒人、メスティーソなどの混血が占め、彼らの労働力を利用して、大農場を経営している大地主は、白人クリオーリョであった。白人クリオーリョは彼らの反乱を恐れて独立には消極的であった。これを打開して独立へ引き出したのが、サン・マルティンの解放軍であった。

同様に北部のベネズエラ、エクアドル、コロンビアでは、ボリーバルの活躍により、独立派がスペイン軍を破り、グラン・コロンビア共和国を建てた。ボリーバルはサン・マルティンと同様に保守派の支配的であったボリビアを軍事力で制圧し解放する。

メキシコでは、一八一〇年クリオーリョの司祭であったイダルゴによってスペイン政府への反乱が始まった。インディオやクリオーリョを主体とする革命であった。革命は司祭モレロの登場にいたって、より計画的、組織的となる。原住民に課せられていた貢納制や奴隷制の廃止、土地改革といった社会改革に発展する。それは保守的クリオーリョを恐れさせ、スペイン駐留軍指揮官のイトゥルビデによって鎮圧される。

１８２０年にスペイン本国でブルボン朝の復活に対し、自由主義者が革命を起こし、憲法を復活し立憲政治を実現すると、駐留の王党派のイトゥルビデが本国との分離を策し、富裕なクリオーリョ層を味方にして、翌１８２１年に独立を宣言した。イトゥルビデは皇帝アグスティン１世として即位し、メキシコは立憲君主国として独立する。独立に踏み切らせたのは、スペイン本国政府の自由主義改革に不安を抱くクリオーリョたちの保身術であった。スペイン本国の自由主義者による革命はインディオやメスティーソへ選挙権賦与、原住民の強制労働廃止や軍人特権の廃止を規定し彼らの支配体制を脅かした。スペイン本国政府は自分たちの支配体制を保証しないと考え、植民地時代からの遺産を守るために独立に向かったのである。中米の諸国の独立も同様な性格をもっていた。キューバとプエルトリコは同じ理由から本国の支配に満足し独立を求めなかった。

〔独立の結果〕

多くの犠牲と混乱の中で、ラテンアメリカ諸国は独立した。絶対王政の支配を打倒し、欧米の民主憲法に似た憲法を制定して、立憲君主政や共和政国家となった。しかし独立はしたが、社会革命を伴わなかったので、社会構造は植民地時代とそう変わりはなかった。本国人が独立により追放され、新しく権力をにぎったのは白人クリオーリョの富裕な大地主や独立戦争で台頭した一部のクリオーリョと混血の軍事指導者たちであった。

独立戦争には、原住民インディオ、メスティーソなどの混血、黒人奴隷などが兵士として徴発されて、戦闘に参加し、クリオーリョを助けた。その結果、独立後の国家では、身分上の差別は廃止され、同等の身分となった。一八二二年メキシコの教会では、信者の登録のときスペイン人、インディオ、ムラートなどの区別することを禁止した。一部では黒人奴隷の解放も行なわれた。

しかし、植民地時代、かれらが占めていた社会的地位には変化がなかった。憲法は一応、主権在民はうたっているものの、文盲や財産所有の規定により選挙権は制限されたり、あるいは間接選挙という形で政治参加より排除された。植民地時代以来のエリート的、権威主義的支配構造はそのまま平行移動して存続した。

〔ボス（カウディーリョ）支配の確立〕

独立後、多くの国々で軍部が強い発言権を持ち、政治権力を握った。大統領となって新国家を統治したのは、独立戦争を通じて台頭したカウディーリョと呼ばれるボスたちであった。強力なリーダーシップを発揮する軍人の首領が多かったが、必ずしも軍人とは限らず、文民でも個性的で魅力ある人物が政治的ボスとして君臨した。独立戦争に活躍したシモン・ボリーバルや十九世紀前半メキシコの独裁者であったサンタ・アーナはその代表的な例である。かれらが大統領となって、官僚を任命し、軍事費をひきあげ、子分や部下を公職に就けた。したがって、その特権的地位を狙って、カウディーリョたちは激しく争った。独立後のラテンアメリカは、いわば、これらカウディーリョの私的利益を吸い上げる場であり、それらの私的集団に支配された。

このようなパトロン的な支配・服従関係は、植民地時代から連続しているもので、スペインのカトリック的身分社会の伝統を引き継いだものである。社会の有力者がパトロンとなって、その子分を保護し、子分がまたパトロンに忠誠を尽くすという人間関係が、社会のすみずみに張り回らされていた。民衆の間に見られる実親と代父の関係も同じ一面を示すものである。洗礼や結婚の際に、息子や娘の親がわりになる者を代父・代母として選び、物心両面にわたって援助してもらうという擬制的親族関係が広くいきわたっている。生活が不安定で相互扶助を必要とするラテンアメリカの社会が生み出した制度といえよう。

〔ラテンアメリカの独立の分裂〕

ラテンアメリカの独立は、ナショナルな下からの独立ではなかった。白人の支配者層が植民地を本国の支配から解放したのち、受動的に国家の形成を迫られて行なったにすぎなかった。いわばナショナリズムなき独立であり、したがって国民意識は存在せず、国家の統一性を欠いていた。少数の大地主が多数の農民を支配する体制の中で、山脈、密林、河川による地理的条件とカウディーリョに頼る人物中心主義が、中央との関係を持ちたがらない地方主義をはびこらせた。

地域的な対立・抗争や指導者間の争いが、絶え間なく続き、国家の分裂を促した。一八三〇年にグラン・コロンビアが解体して、エクアドル、コロンビア、ベネズエラの三国となり、一八三八年には中央アメリカ連邦が分裂して五つの共和国となり、結局、旧スペインの植民地は、十七ケ国となった。これら旧連邦の諸国は十九世紀後半には相互に争い、パラグアイ戦争（アルゼンチン、パラグアイ、ウルグアイ三国の戦争）、太平洋戦争（ボリビア、ペルー、チリ三国の戦争）などを引き起こすまでになった。

〔独立後の国際関係〕

独立後の混乱期に、ラテンアメリカは、外国のさまざまな干渉や侵略をを受けた。一八二三年アメリカ合衆国大統領の出したモンロー宣言はラテンアメリカの再征服を意図していたスペインやフランスなど神聖同盟諸国を牽制するためのものであった。この中で、ヨーロッパの植民地や属領に関しては干渉しないと述べているが、西半球諸国間の相互の干渉には何ら言及していない。ということは、合衆国のラテンアメリカ諸国への干渉の道が開かれていたことを意味する。しかも宣言が期待したヨーロッバ列強によるラテンアメリカ諸国干渉の阻止は効果をあげていない。

一八二九年スペイン軍がメキシコに上陸し、兵士が黄熱病に倒れ撤退。フランスも一時期メキシコを侵略して支配する（一八六二〜六七）。だが最終的には合衆国がメキシコ領テキサスの独立をめぐって、メキシコと争い、現在のカリフォルニア、ニューメキシコ、アリゾナなどを領土に併合する。モンロー宣言のヨーロッパ諸国の干渉に反対するという原則は、その干渉を排除するために、合衆国がラテンアメリカ諸国に干渉するのはやむをえないという論理にすり替えられていく。

一方、ラテンアメリカ諸国の側でも、ヨーロッパ列強による干渉に対処するため、国家間の連帯が図られた。一八二六年ボリーバルの提唱で開かれたパナマ会議がそれである。しかし、会議で締結された連合同盟条約を批准したのは、結局コロンビア一国だけで、ボリーバルの構想した共同防衛へ向けての国家間の連合は実現しなかった。

〔イギリスのラテンアメリカ市場支配〕

ラテンアメリカをめぐるヨーロッパ列強の中で、際立って影響力を持っていた国はイギリスであった。イギリスは海軍力と経済力で他を圧していた。しかし、イギリスがラテンアメリカに求めていたのは、領土ではなく市場であった。そのために自由貿易が必要条件であったが、スペイン植民地時代は本国政府の反対にあって実現しなかった。独立後の臨時政府にいたって、初めてラテンアメリカの港は諸外国に開放される。

開港後の各国の港や首都にいち早く商社や代理店を置いたのは、言うまでもなく、イギリスであった。イギリスの貿易額は独立前の十倍に増え、市場にはイギリスの工業製品が溢れた。各国政府は独立時の武器、食料、物資の購入のためにイギリスから盛んに借款をうけた。その結果、ラテンアメリカ諸国はイギリスの債務国となり、経済的に支配されるようになった。

十九世紀を通じて、イギリスが外国資本の中で優勢を保っていたが、十九世紀末には、フランス、ドイツやアメリカ合衆国も参加するようになった。二十世紀に入ると、アメリカ合衆国がイギリスを抜いて、投資国の第一位に立つようになる。

第7章　南の現在

1　アフリカ

アフリカ諸国は、一九六〇年までに一応政治的には独立はなされたが、植民地化の歪みが大きく、経済的自立にはほど遠かった。

それというのも植民地時代の経済構造がそのまま続いたからである。一つは鉱山経営である。ザンビアやコンゴでは銅、南アフリカでは金・ダイヤモンドが採掘され、ヨーロッパ人の経営する会社でアフリカ人が働かされていた。

農業では、ヨーロッパ人の入植者の経営する大農場（プランテーション）がある。ケニアやジンバブエの大農場では、輸出用のカカオやコーヒーが栽培された。アフリカ人は大農場に耕作地を奪われて、細々とした耕作地だけでは自活できず、現金収入を求めて農業労働者として、これら大農園に吸収された。

残りのアフリカ人は輸出用の農作物を栽培する小農民で、それまで自給用の穀物を栽培していた耕地の一部で輸出用の換金作物を栽培し現金収入を求めたが、流通過程をヨーロッパ人に握られ生産者価格は低く設定された。このような植民地的経済の体制の中に置かれたアフリカでは、その歪みとして、コーヒー、カカオ、ヤシ油など輸出用の換金作物偏重の結果、自分たちが消費する穀物生産の畑地が減少し、食料不足から飢饉を招いていることである。そこで、その解決策として、貴重な外貨をつぎこんで、穀物を輸入したり、外国の援助を仰いでいるのが現状で、アフリカ人は「自分が消費しない商品を生産し、自分で生産しない商品を消費せざるを得ない」ような状況の中に置かれている。

もちろん植民地的経済から脱却するために、経済開発を行なってきた。まずは輸入に頼ってきた工業製品の自力生産を図った。さらには国際競争力を有する輸出志向の工業化をめざしたが、いずれも成功していない。それは工業化を行なおうとすれば、原材料や工作機械を輸入せざるを得ず、外貨不足をきたす。外貨獲得のためには輸出用の換金作物に依存することになり、植民地経済から脱却には植民地経済に依存するというディレンマに陥ったからである。

不安定なこのような経済に対応して、政変やクーデターが絶え間なく起こり、安定した政権が不在であった。ベルギー領コンゴでは、独立直後、中央集権をめざすルムンバ首相に対し、銅やコバルト資源の豊富なカタンガ州の独立を策する州県派がベルギーやアメリカと結び動乱となった。一九六七年には、独立国の中で最大の人口を持ち、資源豊富なナイジェリアで内戦が始まった。イボ族が石油を産出する東部州ビアフラの独立を宣言して始まり、ソ連とイギリスのゴーウオン軍事政権支援で終結した。国際的な性格を帯びた内戦としては一九七四年から始まったポルトガルの植民地アンゴラの内戦がある。ソ連の支持する解放人民運動とザイールが支援した民族解放戦線、アメリカ、中国が支持した独立民族同盟が三つどもえで争い、結局、キューバの介入で解放人民運動が勝利を得た。このほか、独立以降、エチオピア、チャド、スーダン、モザンビーク、ルワンダ、シェラレオネ、リベリア、ブルンジなど各国で地域紛争や内戦が勃発した。その多くが国家権力をめぐる対立で引き起こされたものである。

不安定な経済の中で、国家権力に結びついてポストを得ることは、利権にありつけることを意味する。公務員の雇用、予算の配分、外国援助の受け入れなど数々の役得が得られる。独立後、各国で独裁制や一党制が広く行なわれたが、その大統領や党首は国の資源やポストを巧みに分配する、カリスマ的存在であった。一族ないし特定のグループに権力を集中させ、国民を犠牲にして富むので、国民の反感を買う。そしてこれを打倒できるのは、暴力を所有する軍部しかいないので、軍部によるクーデターとなる。しかし、行政能力が欠けているので同じ轍を踏み、国民の不満を生み、まもなく倒されるという悪循環を生む。

この軍事独裁政権の行う開発政策は一九七〇年代の好景気でコーヒー、カカオ、落花生などの輸出換金作物の輸出が好調だったときはまだよかったが、一九八〇年代に入ってからの世界的不況の中で経済が停滞すると、膨大な非効率的な行政・経済機構を抱え、食料輸入の増大と公共投資のつけが回ってきて、莫大な対外債務だけが残されることになり極まってくる。その結果が債権国側のＩＭＦや世界銀行の経済干渉を受け、再植民地化と言ってもよい状況が始まっているのが現状である。債権側の欧米からの注文の中で、もっとも厳しいのは、政治の民主化、複数政党制の導入である。アフリカ側は激しく抵抗しているが、ケニアなどは先進国側の援助停止の切り札に屈し、突然、多党制に切り替えている。

しかしこうした北からの援助なしに、いかに自力で再生していくかが、アフリカの独立後の課題である。独立後、多くの国で自立を目指して社会主義政策がとられた。国家の強権で農村の集団化、流通の国営化などを梃子にソ連型をとったアンゴラ、モザンビーク、エチオピアなどに対し、農村の伝統的な共同体（ウジャマー）の平等主義を基礎に農村からの社会主義を実現しようとしたタンザニアなどがあるが、いずれも人権の自由が束縛され、生産は増加せず、経済の自立に失敗している。

内戦や政変による人災、旱魃などの自然災害、難民の日常化などアフリカの苦悩は深いが21世紀に入ると、様相は変わってきた。


冷戦期は、東西対立で、自分たちの陣営にアフリカ新興国を引き留めたい欧米とソ連、東欧、中国との間での援助合戦が見られた。しかし、１９８９年の東欧革命に続く、米ソ首脳会談を契機として東西冷戦が終結すると、その影響で、アフリカに民主化と市場経済化の時代がくる。一党支配の軍事独裁から複数政党制への転換が見られるようになり、市場経済化による経済の自由化が大きな流れとなった。

毎年の経済成長率が、１％以下だった、アフリカ経済が、２００１年に3．５％と増加し、２００６年には6．２％へと成長した。それというのも世界的な石油価格高騰で、多額のオイルマネーが流れ込んできたからだ。アフリカ各国で油田の規模拡大、新規の油田開発が行われ始めた。石油だけではなく、世界市場における天然資源価格の高騰を背景に、金、ダイヤモンド、プラチナ、ニッケル、クロムなど希少性の高い地下資源の開発、投資が行われ、アフリカ経済は急速に成長軌道を進みはじめた。アフリカは援助の対象ではなく、投資の対象に変わりつつある。

アフリカの開発・投資にとくに力を入れているのは、中国である。２０００年以降、アフリカと中国の貿易は増加の一途を辿っている。アフリカから中国への資源輸入が増大しているからだ。中国は、石油、鉄鉱石、銅、プラチナなど多様な資源をアフリカから運んでいる。資源開発に関わって、中国は、アフリカの港湾への道路、鉄道などのインフラ整備も進めている。

アフリカは、経済の活性化とともに、人口も爆発的に増加していった。アフリカ全54ケ国の人口約12億５６００万人は、国連の推計で、２０５０年には倍増して約25億人となり、世界全体の４人に１人になるだろうという。人口の増大をもたらしたのは農村から都市への移動だ。当初は畑の管理を委ね、妻子を村に残して単身出稼ぎが多かったが、経済成長とともに妻子を呼び寄せ、家族同居型が増えて、都市拡大に拍車をかけた。都市では、住宅の確保、仕事の世話、金融、福祉、保健に至るまで、同郷の親族が助け合う、ウブントゥというアフリカ的なコミュニティ精神が働いて、市民生活のささえとなった。

アフリカは都市人口の増大により、中間所得層が拡大し、大きな消費市場が形成されつつある。アフリカ経済の自立には、こうした都市向けの付加価値の高い製品をつくり、輸出主導型の貿易構造に変えていくことが前提となる。南アフリカを筆頭に、ナイジェリア、ウガンダ、コートジボワール、ガーナ、タンザニアなどで製造業が台頭している。

アフリカ経済の活性化のためには、一次産品の輸出と外国製品の輸入に依存する経済構造から脱却し、工業製品の輸出主導型の構造に転換することが求められている。

ところが、アフリカでは、デジタル社会の到来とともに、先進国が経験した経済社会を経ずに、一足飛びに先の経済段階へ発展する、リープフロッグ現象と言われる現象が起っている。

アフリカでは、固定電話の利用の前に携帯電話の方が先に普及しており、併せてスマホの普及と相まって、インターネトに接続でき、さまざまなサービスにアクセス出来るようになった。銀行口座をもったことのない人々にこれらのモバイル機器による送金サービスが広がっている。また道路などのインフラが整備されていない中でドローンによる物資の輸送が始まっている。

こうした中で２０２１年１月、アフリカ大陸自由貿易圏（ＡＦＣＦＴＡ）が発効した。アフリカ大陸55ケ国を対象とする自由貿易圏が始まり、約13億の人口、55ケ国の関税がかからない巨大貿易圏が、域内貿易を増やし、製造業を発展させ、アフリカの産業化を促進させることが期待されている。

２　東南アジア

長い植民地時代と民族独立闘争をへて独り立ちした東南アジアの諸国は現在真の民族国家をめざして、模索を続けている。民族国家の主体性確立のかなめにある問題はヨーロッパ風の近代化を受容するか否かということである。その近代化の指標は、政治における議会制民主主義、政教分離、経済における資本主義的工業化である。多くの国々では、独立当初、これらの近代化の路線をとっていたが経済開発の蹉跌から、しだいにこれから離れ、その国なりに独自の近代化を試行しつつある。

ヨーロッパ的近代化・資本主義化を拒否した国は社会主義を標榜するインドシナの国々である。ただしカンボジアは内戦終結後、社会主義を捨て立憲民主制が復活している。ビルマもネ＝ウイン軍事政権がビルマ型社会主義を進めていたが、一九八八年に現軍事政権になって、社会主義を放棄した。議会制民主主義は多くの国々でうまく機能していない。現在辛うじてこの体制を維持しているのはタイ、シンガポール、マレーシアなどで、それも一党独裁に近いか、軍部独裁に近いのが実状である。政治面ではヨーロッパ的近代化を放棄しても経済面では資本主義的工業化の道を歩んでいる国は、インドネシア、フィリピン、タイ、マレーシアと多い。

しかし官僚統制が強く、国営部門の比重が大きかったり、農業開発に重点を置くか否かなどにより、その国なりに工業化のスタイルが異なり、経済援助受け入れによる外国資本への従属、首都圏と農村の格差など工業化の道は険しい。ヨーロッパ的資本主義化で成功した唯一の国はシンガポールである。今日アジア有数の工業国家として発展しつつある。

【日本の東南アジア軍事支配】

第二次大戦では、日本は大東亜共栄圏という名目で東南アジアを軍事的に占領し支配した。日本は日清・日露戦争後、台湾、朝鮮を支配し、さらには東北中国に満州国をつくり、ここから広大な中国市場をうかがい、アメリカ合衆国と争った。アメリカは中国市場の門戸開放を宣言し、これを梃子にして米国産の鉄、石炭、石油、ゴムなどの工業・軍事資源の日本への禁輸措置をとった。日本はこれらの資源の確保をめざして東南アジアに軍事進出した。オランダの植民地インドネシアの石油、イギリスの植民地マレーシアのゴムや錫が、とりわけ重要であった。

日本の侵攻の結果、現地の人々に多大な被害を与えた。その象徴的な事例をいくつか挙げる。アメリカ合衆国に対して、真珠湾攻撃をすると同時にイギリス領のマレー半島に上陸し、シンガポールを占領した。中国とのつながりで抗日活動していた華人が徹底的に取り締まられ、多くの人が虐殺された。アメリカの植民地だったフィリッピンでは、マニラを占領し、捕虜を炎天下、バターン半島を約百キロ歩かせる「死の行進」で、多数の犠牲者を出した。ビルマとタイをつなぐ泰緬鉄道の建設にあたっては、現地人や捕虜が動員され、多数の死者をだした。

【第二次大戦後の独立】

第二次大戦後、東南アジアの各地域では、独立運動が展開され、独立宣言が出された。植民地本国の支配が復帰すると、両者の間に相剋が繰り返され、独立が実現されていく。日本の軍事支配が欧米の植民地支配に風穴を開け、独立の契機となった。

フィリッピン、ミャンマー、マレーシア、シンガポールは、アメリカやイギリスが、もはや植民地の時代ではないとして、植民地本国が話し合いや戦前からの約束で、独立が認められた。それに対し、インドネシア、ベトナム、東ティモールは、植民地本国が独立を認めなかったので、日本の降伏後、宗主国のオランダ、フランス、ポルトガルと戦争になった。

フィリッピンでは植民地本国アメリカで、植民地領有に反対する声が高まり、１９３４年に、10年間の準備期間（コモンウエルス期）をおいて10年後のフィリピン独立を認めるフィイリピン独立法が成立し、日本の降伏後の1946年7月、コモンウエルス期の終了とともにフィイリッピン共和国が成立し、アメリカの支援を受けた自由党のロハスが、初代大統領に就任した。

ミャンマーでは日本の降伏後、イギリスの植民地支配が復活した。しかし、独立闘争を展開していたアウンサンが、1947年にイギリスの労働党アトリー内閣との間で話し合いを進め、独立協定が結ばれ、国内の諸勢力の統合を進め、1948年1月、イギリス連邦に加わらない形でビルマ連邦として独立を達成した。

マレーシアでも、日本の敗退後、イギリスの植民地支配が復活したが、1957年マレー半島南部の地域をマラヤ連邦としてイギリスは独立を認めた、1963年にはシンガポール、サバ、サラワクを加えてマレーシア連邦が誕生した。独立に際しては、マレー人の党、華人の党、インド人の党という三つの政党が連盟党という連立政党を結成し、イギリスとの独立交渉を有利に進めた。なお、マラヤ連邦は1948年以来、主要民族でありながら経済的に劣位にたっているマレー人に対して「特別な地位」を認め、様々な優遇措置がとられた。

シンガポールは、マレーシア連邦の一員としてイギリスから独立したが、華人（華僑）中心の政党が勢力をもつシンガポールに対してマレー人優遇政策をとるマレーシアから追放され、１９６５年シンガポール共和国として独立した。

インドネシアでは日本が第二次世界大戦で連合国へ降伏した後、１９４５年8月17日、スカルノ及びハッタがインドネシア共和国として独立を宣言。スカルノが初代大統領に選出された。しかしオランダは、これを認めず、１９４５年から１９４９年までの４年５ヶ月にわたる独立戦争が行われ、80万人が犠牲になった。その後、ハーグ協定により１９４９年12月27日にオランダがようやく独立を承認し、インドネシア連邦共和国として正式に独立を果たした。

ティモールは日本の敗戦で日本軍引き揚げ後、西ティモールはオランダ領だったので、インドネシア共和国の独立により、インドネシアの一部となったが、東ティモールはポルトガルが復帰しポルトガル領となった。１９７４年ポルトガルの独裁政権が倒れたので、独立運動が起ったが、隣のインドネシアが、これを機に侵入し、１９７６年インドネシアに併合した。しかし、独立派はこれを認めずインドネシアと独立派の抗争が激化した。１

９９９年国連が多国籍軍を派遣し、国連が暫定統治機構を設立。インドネシアはスハルト大統領が退陣後、独立を認め、インドネシア軍は撤退し、２００２年大統領選挙が行われ、グスマン氏が当選し、「東ティモール民主共和国」が発足した。

長い植民地時代と民族独立闘争をへて独り立ちした東南アジアの諸国は現在真の民族国家をめざして、模索を続けている。民族国家の主体性確立のかなめにある問題はヨーロッパ風の近代化を受容するか否かということである。その近代化の指標は、政治における議会制民主主義、政教分離、経済における資本主義的工業化である。多くの国々では、独立当初、これらの近代化の路線をとっていたが経済開発の蹉跌から、しだいにこれから離れ、その国なりに独自の近代化を試行しつつある。

【開発独裁】

独立後の東南アジアの、主だった国では、独裁による上からの経済開発が行われ、植民地経済からの脱皮、経済面でのナショナリズムが発揮された。政府批判は抑えられ、国民の参政権や人権を制限して、一つの軍や党が支配する強権政治によって、国家主導型の経済発展が図られた。

インドネシアでは、スハルトが1965〜98年、シンガポールでは、リー・クアンユーが1965〜90年、フィリッピンでは、マルコスが1965〜86年、マレーシアでは、マハティールが1981〜2003年、開発独裁が行われた。

インドネシアでは、独立後、独立運動の指導者スカルノが大統領として、国際的には、1955年アジア・アフリカ会議をバンドンで開催するなど、第三世界をリードしたが、国内では軍部と共産党のバランスをとりながら独裁的な政治をとった。しかし、共産党勢力の増大に、共産中国の影響を恐れたアメリカ、軍部・大資本の圧力の下に1965年の9・30事件で軍部を背景とするスハルト将軍が実権を握る。9月30日、共産党が主導権を握ろうとして、6人の陸軍将軍を殺害すると、軍部が逆にこれを機に攻勢に出て4〜50万人近い共産党員を殲滅して、これを指導したスハルト将軍が第2代大統領に就任し、スハルト時代を現出した。スハルトはイデオロギーを排除し、経済開発に主力を注ぐ、開発独裁を行った。政党、イスラム団体、労組、マスコミなどを厳しく統制し、軍部に国防、治安維持、行政管理の権限を持たせ、こうした独裁的な政治基盤のもとで経済開発が行われ、輸入代替型から輸出志向型へと進み、経済成長率は１９６０年代の４．１％から90年代の７．４％と成長させた。

シンガポールは、マレーシアの一州として、１９６３年にイギリスの植民地支配から独立したが、マレー人優先政策を推進するマレーシア中央政府と対立し、わずか２年後の65年８月に離脱独立した。独立後、リー・クアンユー率いる人民行動党政府は、食糧も飲料水も自給できず、国民以外何の資源もないシンガポールが独立国として立ち行くために、社会・共産主義勢力、野党、労働組合、マスコミなどあらゆる反対勢力を抑圧して官僚機構と一体化した人民行動党による独裁政権をつくり、開発独裁をすすめ、外資企業を誘致し、石油精製、造船、電子、電機などの分野を発展させ、毎年10％を上回る高い経済成長力を維持し、１９７０年代末には、アジアＮＩＥＳの一員をなすほどに発展した。

マレーシアでは、１９６９年、マレー人と華人の対立・抗争を経て、マレー人優先のブミプトラ政策が始まり、１９８１年、マハティールが首相に就任し、２００３年に退任するまで、22年間、開発独裁をすすめた。立憲君主制の下、国王の権限制限、サバ州とサラワク州に対する中央政府の統制強化、反対派の弾圧など強権体制に立って、重化学工業化を図った。スズ、ゴム、パーム油等の輸出を中心に外国からの投資を推進して高度経済成長を成し遂げた。

【東南アジアの社会主義化】

ベトナムではホーチミンが、１９４０年ベトナム独立同盟を創設し、中国国境地帯を支配下においた。１９４５年、日本がフランス植民地政府を倒すと、支配地を北部６州に広げ、１９４５年、日本の降伏、敗戦直後、ベトナム民主共和国の独立を宣言した。しかし植民地本国のフランスは独立を認めず、軍隊を派遣したので、８年もの戦争となった（第一次インドシナ戦争）。その間、フランスは南ベトナムに旧王朝のバオダイ王を擁立してヴエトナム国をつくった。第一次インドシナ戦争は、ディエン・ビエン・フーの陥落でフランスは敗れ、１９５４年7月ジュネーブ協定で、北緯17度線で南北に分け、２年後の統一選挙で将来を決めることになった。しかし統一選挙は行われず、北ベトナムのベトナム民主共和国と南のベトナム国と分かれて対立した。南ベトナムでは、10月、アメリカの支援下にゴ・ディン・ジェムが大統領に就任し、ベトナム共和国となる。しかし、その圧政に対抗し、１９６０年南ベトナム解放戦線が結成され、内乱になり、解放戦線を北ベトナムが支援したので、アメリカがサイゴンに基地を置き、軍事介入が始まる。１９６４年トンキン湾事件を契機に、アメリカの北ベトナムへの爆撃が開始され、アメリカの直接の軍事介入で第二次インドシナ戦争となる。しかし、アメリカは軍事作戦に行き詰まり、民族独立への干渉が批判されたこともあって、１９７３年パリ和平協定に調印して撤退する。アメリカの撤退によって、アメリカに支えられていた南ベトナムが崩壊し、北ベトナムにより１９７６年南北が統一され、ベトナム社会主義共和国が成立する。

カンボジアは、１９５３年にシアヌーク国王の下に独立し、仏教信仰の中で平和を保っていたが、１９７０年にヴェトナム戦争の影響下に親米右派勢力によるクーデターでシアヌーク国王は追放され、ポル・ポトの指導する左派との間で内戦が始まった。１９７５〜７９年には、ポル・ポト政権が全土を支配し、都市を破壊し、農村を主とする極端な共産主義社会の建設を強行し、１００万とも２００万とも言われる国民を虐殺した。これに対し、１９７８年末、反ポル・ポト派を支援してベトナム軍が侵入し、ヘン・サムリンを首班とするカンボジア人民共和国を成立させた。内乱は続いたが、１９８９年にベトナム軍が撤退し、１９９１年に両派間に和平協定が調印された。１９９３年には総選挙で憲法制定議会が開かれ、新憲法が採択され、シアヌークを元首とするカンボジア王国が誕生した。１９９８年　ポル・ポトの死でポル・ポト派は壊滅し内戦は終了した。

ラオスは、１９４９年フランス連合内のラオス王国として名目上、独立したが、１９５３年にフランス・ラオス条約により完全独立した。独立後、左派のパテト・ラオと右派、中立派との内戦が続いたが、１９７５年サイゴンが陥落しベトナム社会主義共和国が成立したことにより、左派のパテト・ラオが全土を制圧し、１９７５年王政を廃止し、ラオス人民民主共和国となった。

【ＡＳＥＡＮ】

第二次大戦後、地域統合が各地に成立した。ヨーロッパで、大戦の反省から欧州共同体（ＥＥＣ）が出来、ＥＵに発展したが、アジアでは東南アジアで東南アジア諸国連合（ＡＳＥＡＮ）が生まれた。大戦後、この地域には反共軍事同盟としてアメリカが言い出してつくった東南アジア条約機構があったが、ベトナム戦争では機能せず、１９７７年に解散した。その後、ベトナム戦争が始まった2年後、タイの呼びかけで、１９６７年東南アジア諸国連合（ＡＳＥＡＮ）が結成され、タイ、インドネシア、シンガポール、フィリピン、マレーシアの5か国が加盟した。親米反共を主軸として開発独裁をとるインドネシアのスハルトやフィリッピンのマルコスなどが主導し、ベトナム、ラオスなどの社会主義国への防波堤として結ばれたものだったが、ベトナム戦争の終了とともに、政治的結びつきよりも経済的結びつきの方が強くなり、１９７０年後半からは、しだいに経済協力の機構に変わっていった。１９８４年にはブルネイがＳＳＥＡＮに加盟するなど、その傾向が強くなった。統一されたベトナムは社会主義国として一党独裁を維持しながら、市場経済を導入するドイモイ政策をとるようになり、１９９５年ＡＳＥＡＮに加盟する。１９９７年にはラオス、ミャンマー、１９９９年にはカンボジアが加盟し10ケ国になり、ＡＳＥＡＮ10と呼ばれた。その後、２００２年に東ティモールがインドネシアから独立し、ＡＳＥＡＮ加盟を申請している。もし加盟すれば、ＡＳＥＡＮは、これにより東南アジア諸国がすべて加盟する地域統合になる。

ただ地域共同体として、ＥＵと比べると、経済的には緩い連合で、経済共同体にはなっていない。ＥＵは投資の自由化、労働者の移動の自由、共通通貨の導入など共同体を実のあるものにしているが、ＡＳＥＡＮは、投資や貿易の自由化の段階にとどまっている。

戦後、東南アジアと日本との関わりは、対米貿易赤字を東南アジアとの貿易黒字で補うという形で始まった。日本は賠償支払を足掛かりに再び東南アジアに進出するようになり、ベトナム戦争終結でアメリカが去った後、それに代って経済的に大きな位置を占めつつあるといわれる。

3　オセアニア

独立したオセアニア諸国は、経済的自立をめざして営々と努力しているが、国土は小さく、人口は百万人にも満たない島国ばかりで、海外市場から遠く、欧米諸国や中国、日本からの援助に依存している。国外への出稼ぎ労働者からの送金も収入源だ。輸出用の特産物に乏しく、自立経済への模索がつづけられている。

植民地からの独立後、これらの島々の意志を集約する場として、南太平洋諸島を中心に、１９７１年8月、南太平洋フォーラムが創設された。その後、北太平洋諸国もフォーラムに参加するようになったため、２０００年に名称が南太平洋フォーラムから太平洋諸島フォーラム（ＰＩＦ）に変更された。ＰＩＦには、オーストラリア、ニュージーランド、パプア・ニューギニア、フィジーなどオセアニアの諸島嶼国が加盟し、オセアニア地域をまとめる役割を担ってきた。このＰＩＦは、フランスの核実験への抗議を契機として、結成されたもので、オセアニア諸国首脳が集まって、政治、経済、安全保障など共通の関心事項の対話、討議が行われてきた。そのため太平洋のミニ国連、太平洋のサミットとよばれることもある。毎年、総会が開かれ、共同声明が採択される。

これまで、ムルロア環礁でのフランスの核実験や日本の核廃棄物海洋投棄計画への抗議、仏領ニューカレドニアへの独立支援声明などが出された。政治的問題も討議されるが、加盟国・地域間の貿易、観光、運輸、経済開発など経済面での協力も話し合われる。２００0年代に入ってからは環境問題が浮上し、フィジー諸島、ツバル、マーシャル諸島など海抜の低い国々で海面上昇による海水侵入がおこり、気候温暖化対策への取り組みを世界に求める宣言が採択された。

4　ラテンアメリカ

〔工業化への道閉ざされる〕

独立戦争によって国土は荒廃し、伝統的な工業は崩壊した。植民地時代、絹織物・毛織物や鉄製品等の手工業がメキシコ、ペルー、チリなどで盛んで、それなりに地域の需要を満たしていたが、戦争の被害で多くの工場が廃墟となった。それだけでなく、独立後、おびただしい安価なイギリス製品の流入が伝統的な手工業製品を圧倒し、工業の自立への道は閉ざされる。またクリオーリョの大地主、大商人や教会は工業への投資意欲を持っておらず、奢侈な生活と消費にエネルギーを費やした。

〔外国資本への従属〕

独立後の政治混乱や外国の干渉がひとまず終わり、独裁政権の下ではあったが、ラテンアメリカの政情が一八七〇年代に入ってから安定するようになった。各国とも政府は自由貿易、自由主義の経済政策をとり、欧米諸国からの資本や技術を、またヨーロッパから労働力として移民を積極的に入れ、輸出経済の発展につとめた。その結果、この地域へ向けての欧米先進資木主義国の資本進出が激しくなってくる。十九世紀はイギリスが中心で政府に対する借款や、鉄道・港湾・電信・電力等の公共事業に投資される。二十世紀の二十年代からはアメリア合衆国が主役となり、食料や工業用原料の獲得に力が注がれる。

外国資本の進出の結果、文明の利器が、ラテンアメリカ人の生活環境を変える。鉄道や道路、電信の建設が進み、電話や電車が普及した。また都市の近代化に金がつかわれ、各国とも首都の美観を競い合った。とくにブエノスアイレスは植民地風の街から、広い街路や公園、記念広場を持ち、世界最大のオペラ劇場を擁し、学校や図書館など公共施設が建てられ、美しい都市へと装いを新たにした。

外国資本や技術の進出に促進されて、ラテンアメリカの経済も活況を呈する。農産物や鉱産物などの輸出経済が急速に発展し拡大する。アルゼンチン、ウルグアイなどは牧畜製品や小麦・トウモロコシなどの農産物、ブラジル、エクアドル、コロンビア、中米諸国、カリブ海諸国はコーヒー、バナナ、タバコ、砂糖などの熱帯性の食料や嗜好品、チリ、ペルー、ボリビア、メキシコ、ベネズエラなどは硝石、金、銀、銅、ゴム、石油などの鉱産物が盛んに生産し輸出した。これらの産物は自国の管理のもとに生産されたものであるが、これらの生産物を運ぶ鉄道・港湾・海上輸送などの施設の多くは、外国資本によって建設・運営される。また鉱産物や砂糖、バナナなどの熱帯農産物は外国資本の管理下にあった。

輸出経済の発展によって、ラテンアメリカは農牧品や工業用原料を、工業が発達し人口の増加しつつある世界の中心部・ヨーロッパやアメリカ合衆国に向けて輸出し、これらの国々から日常生活に必要な工業製品を輸入するモノカルチュア経済に組み込まれていった。こうして、ラテンアメリカは政治的には独立しているが、経済的には中心の先進資本主義国に従属する周辺の低開発国となっていく。そしてこの中心部への従属化を決定づけたのは、独立戦争後に確立するラティフンディオと呼ばれる私的大土地所有の発展である。

〔私的農園（ラティフンディア）の発展〕

ラテンアメリカの大土地所有制は、起源をさかのぼれば植民地時代のエンコミエンダ制に至るが、直接には植民地時代のクリオーリョの私的大農園を基礎とし、独立戦争とその後の自由主義的土地政策を通じて拡大発展したものである。

クリオーリョの私的大農園はメキシコの場合について見れば、次のように形成された。スペイン人が食生活を維持していくためには、エンコミエンダ制を引き継いだ貢納制によって、インディオが貢納するトウモロコシのみでは満足しなくなった。小麦もさることながら食肉による補充が必要であった。そこでメキシコの植民地当局は、放牧地のために王領である未開地を恩恵として分割、譲渡を開始した。メキシコの大土地所有であるアシェンダはこの放牧地が農場と結合して形成されたものといわれる。

しかし、大土地所有制が急速に発展するのは、独立後、各国クリオーリョ政権がとった自由主義的土地政策による。独立後、植民地時代の貢納制は廃止され、原住民は法律上平等となった。サン・マルティンやボリーバルなどは近代的土地政策を実施し、ブルジョア的私有財産制の確立を図った。植民地時代は王室に属しており、独立後は国家の所有に帰していた土地を売却したり、インディオの土地所有権を認め、インディオ共同体の共有地を私有財産としてインディオ各家族に分割した。

この結果、共同体に住む原住民のインディオは、王権の保護を失って貧窮化する。新政策で土地所有者となったインディオは、土地を自力で利用する資本や設備がなかったため、金融業者や地主から借金し、返済できず土地を没収され、結局、隷農や賃金労働者へ転落した。

一方、すでに大地主や大商人であったクリオーリョは国有地を安く購入しただけでなく、共有地分割によって土地を得たインディオから購入、詐欺、脅迫やどあらゆる手段を使って、その土地の強奪を図った。

メキシコでは、ディアス独裁政権の時代(一八七六〜一九一一)に空き地法が制定され、膨大な土地が一部有力者や会社のものとなった。これは国が所有する荒地や空き地を調査し、それを個人や会社に売却する法であった。実際の空き地だけでなく、所有権のはっきりしない土地も国有地を不当に所有しているとして没収された。調査にあたった会社にはその報酬として見つけだした空き地の三分の一が与えられた。さらに政府は前政権で制定した、教会など団体の土地所有を大幅に制限する法を原住民の共同体に適用して、かれらの放牧地や耕地を合法的に奪った。こうして没収した土地は政府により一部有力者へ安い価格で譲られ、それを買った投機業者は外国人に転売し大儲けした。

アルゼンチンではインディオからの土地取り上げはもっと露骨に暴力的に行なわれた。大平原パンパは一九世紀半ばまでは、インディオが昔ながらの土地共有制よって、平和な暮らしを続けていた。スペイン人の植民は少数で、海岸寄りのごく限られた地域にいたにすぎなかった。そのパンパが変容するのは一八七〇年代に入ってからである。イギリスによる大掛りな投資が始まり、鉄道の建設、冷凍船の使用、冷凍施設のある食肉加工場の普及によりパンパは小麦と牛肉の一大農牧畜業の基地となった。イギリスの海外投資の四〇〜五〇％がアルゼンチンに向けられた。インディオとの共存は資本の要求と相容れず、インディオ狩りが独裁者ロサスの政府によって行なわれた。一八七八年から三年間にわたって、徹底的なインディオ討伐戦が敢行され、約六〇〇〇人のインディオが殺され、南方のマゼラン海峡の方に追いつめられた。その結果、国土の半分以上を占めていた広大な土地がインディオから奪われ、少数のクリオーリョ地主や軍人の間で分配された。エスタンシ

ア と呼ばれるアルゼンチンの大土地所有制はここに始まる。
その他の諸国でも大なり小なり、インディオからの土地掠奪が行なわれ、ラティフンディアと呼ばれるラテンアメリカの大土地所有制が確立する。

〔外国資本と大土地所有者の連帯〕

メキシコでは、一九一〇年には全人口の一％が全国土の九〇％を所有し、農民一千万人の内、九五％が土地なし農民であり、土地を奪われた農民は隷農（ペオン）となるか、鉱山や工場の労働者となった。こうして奪われた土地は、結局、海外向けの商品作物栽培に向けられた。

外国資本は鉱山だけでなく、農業、牧畜にも目を向けるようになったからである。メキシコでは英米資本の農業投資は三五〇〇万ドルに達し、カリフォルニア半島部では、ほとんどアメリカ系会社の所有となった。インディオや小農民の土地はプランテーションに変えられた。モレロス州では、砂糖プランテーション、チヤバス州ではゴム、コーヒーの栽培が行われ、マヤ文明の中心であったユカタン半島では、ヘネケン（竜舌蘭からつくった繊維）の生産が発展した。帆船などの綱に使うため、またアメリカ人の噛むチューインガムの原料チックルをつくるため、一〇万人のインディオがプランテーションで奴隷的労働に駆り立てられた。こういう例はメキシコに限らず、ラテンアメリカ各国で展開した。

輸出経済の発展は、こうして外国資本への依存度を深めるとともに、大地主階級と外国資本の癒着が進み、大土地所有制を発展させ、その一方で共同体の解体による多くの貧窮農民を生み出した。そしてこのような経済体制は二十世紀の今日まで基本的には変わらず永続するのである。

〔大衆の登場〕

輸出経済の発展は、他方では、労働者階級や新しい中間層を生み出すこととなった。二十世紀のラテンアメリカは、従来の農民に加えて、これらの階級が大衆として歴史に登場する時代である。二十世紀は大地主や外国資本の寡頭支配に対して、大衆が果敢に挑戦する時代である。

ラテンアメリカの輸出経済は一八八〇年代から始まり、一九三〇年代初めの世界恐慌まで続いた。この間、鉱山や鉄道や港湾が開発され、資本主義的な大農園が発達し、これらの産業に従事する労働者階級が形成された。またそれとともに官僚、管理者、技術者、専門家などのホワイトカラーや教育の普及により教員や学生などの新しい中間層が生まれてきた。そして彼らの間に広がるのが、移民などを通じてもたらされたヨーロッパの革新思想であった。その内、初期の労働運動に大きな影響を与えたのは、アナルコ・サンディカリズムである。かれらは政党活動によらずに、ストライキやサボタージュなどの直接行動に訴え、要求の実現を図った。しかし第一次大戦後、ロシア革命が起こると、その影響を受けてサンディカリストやアナーキストに代わって、共産党の活躍が目立つようになった。

これらの大衆行動の先頭をきったのはメキシコの革命であった。外国資本と大地主が土地や富を収奪するのを保護し、圧政を行ったディアズ攻権に対してサバタなどの指導者が立ち上がり、土地改革や労働者の労働条件の改善が叫ばれた。革命派は政権を握れなかったが、その結果生まれた一九一七年憲法は、そうした農民や労働者の意向をくんだ憲法となった。その他アルゼンチン、ブラジルなどラテンアメリカ各国で大衆の運動に押されて労働法の制定など一定の改革が前進した。

〔世界恐慌とラテンアメリカ〕

一九二九年アメリカ台衆国に始まった世界恐慌はラテンアメリカにも深刻な影響を与えた。一次産品に頼るラテンアメリカ各国は、輸出価格の下落により輸出が減退し、国家財政は赤字となリ、企業の倒産に見舞われた。国民生活は困窮し、社会不安を増幅させた。その結果として、伝統的な政権がクーデターや反乱によって倒された。

恐慌によって生み出された社会不安は、大衆とくに労働者階級の成長と併せて、各国の支配者をして深刻な危機感を抱かせるにいたった。メキシコ、ブラジル、アルゼンチン、チリなどでは、経済的危機に対しては、一次産品に代って輸入代替の工業化に着手する一方、労働者や農民階級を保護し、利益や恩恵を与えて国家体制の安泰を図った。ブラジルのバルカス政権やアルゼンチンのペロン政権などは、その例である。

中央アフリカやカリブ海の国々では、これとは反対に伝統的な輸出経済を続行・強化すると同時に、独裁の強権政治で大衆を弾圧することによって危機を乗り越えようとした。

キューバのバティスタ政権、ニカラグアのソモサ政権、ドミニカのトルヒーヨ政権などがその例である。そして、これらの独裁政権を背後で支えていたのはアメリカ合衆国であった。

〔アメリカ合衆国の進出〕

アメリカ合衆国では、西部への進出は、フロンティアの消滅によって終結し、海外へ目が向けられるようになった。この「北方の巨人」アメリカが、初めに注目したのはキューバを中心に、合衆国の裏庭と考えてきたカリブ海に面した国々であった。とくに南北戦争後の一八七〇年代には、アメリカは原料輸出国から製品輸出国へと変り、これ以後、工業製品の輸出市場としてだけでなく、資本市場としてカリブ海は重要になってきた。カリブ海地域への膨張は、またアジアへの進出とも絡み合っていた。すでに一八二〇年代に、太平洋と大西洋を結ぶ運河の建設が提案され、ハワイの領有などが主張されていた。

アメリカは戦略上の見地や、経済的利益の追求から、十九世紀末期より、この地域の支配に乗り出し軍事的干渉や経済力を行使して第一次大戦後までに、覇権を確立するに至った。以後アメリカ合衆国は、カリブ海地域を足場に、中南米諸国全体に対して、十九世紀までのイギリスに代わって国際的パトロンの地位に着く。

〔米西キューバ戦争〕

はじめに着手したのが、キューバである。キューバは、十八世紀末カリブ海の砂塘王国ハイチが黒人奴隷反乱によって崩壊したあと、代わって登場した砂糖生産地である。一八七〇年には世界第一の砂糖生産国となっていたが、その四分の三はアメリカへ輸出されていた。この繁栄する砂糖業の担い手であったクリオーリョの地主階級たちは、本国による植民地支配の改革をめざしたが、その要求は容れられず、一八六八年から十年戦争と呼ばれる第一次独立戦争を起こす。しかし、成功せず、再び一八九五年ホセ・マルティニの指導の下に第二次独立戦争を起こす。この戦争で中小の農園主が没落し、そのあとにアメリカの近代化された砂糖資本が進出する。戦乱の長期化はアメリカ資本にも損害を与えるようになった。こうしてアメリカ合衆国による独立戦争への軍事介入が始まった。いわゆる米西戦争である。

三十年に及ぶキューバ戦争がわずか四ケ月の米西戦争にすりかえられる。キューバ人はこれに抗議して、この戦争を米西キューバ戦争と呼ぶ。パリ講和会議にはキューバ人の出席は許されず、スペインとアメリカ合衆国との間で和約が結ばれる。スペインは二〇〇〇万ドルで、フィリピン、プエルトリコ、グアムをアメリカ合衆国に譲り、キューバは独立の準備が成るまで、合衆国の軍事占領下におかれることが決められた。一八九九年から一九〇二年の合衆国による占領期間中、キューバの独立軍は解散され、アメリカ憲法にならって制定されたキューバ共和国憲法には、必要とあれば合衆国がいつでもキューバの内・外政に干渉できることなどを定めたプラット修正と呼ばれる条項が加えられた。

〔パナマ運河の建設〕

米西キューバ戦争に成功して以来、アメリカはカリブ海や中央アメリカ諸国に対し・積極的に介入して、この地域の覇権を握るようになった。キューバに次いでパナマがアメリカの保護下に入れられた。

米西キューバ戦争のとき、アメリカはサンフランシスコからフロリダ沖まで軍艦を周航させるのに南米南端経由で六七日を費やしているが、中米の地峡に運河を建設すれば、約三分の一に短縮できるはずであった。東アジアに進出する上でも、運河の建設は緊要の課題であった。

パナマ運河の開鑿は、すでにフランス人のレセップスによって、一八八一年から行われていたが、難工事のため、資金が枯渇し会社は破産し工事は中断していた。これを見たアメリカは当時パナマはコロンビアの一部であったので、同政府と交渉し、九九年間を期限とし、幅六マイルの運河地帯の管理権を得た。しかし多額の代償を欲したコロンビアの上院は条約の批准を拒否した。これに対しパナマ地方の住民はコロンビア政府の政策に不満で、分離独立の動きを示したので、アメリカ大統領セオドル・ルーズベルトは軍艦を派遣し独立運動を支援した結果、パナマ共和国の誕生となった。

アメリカはすぐ共和国政府と条約を結び、幅一〇マイルに広げて、永久に占有する権利を得た。それと同時にパナマ共和国もキューバと同様、合衆国の保護国となることが定められた。運河はアメリカ政府により、ただちに建設に着手され、三億七〇〇〇万ドルを費やし、一九一四年八月完成し、一九二〇年正式に開通し、以後アメリカがアジアや南米に進出する大動脈となった。

〔アメリカの覇権確立〕

アメリカ合衆国はこのようにしてプエルトリコを領有しキューバやパナマを保護国としたが、その外、ハイチやドミニカ、ニカラグアにも政情混乱を理由に軍隊を進め、それぞれ事実上の保護国、あるいは軍事占領という形でこれらの国を支配下に置いた。アメリカ合衆国は、こうして第一次大戦が終了するまで、カリブ海を中心にラテンアメリカの覇権を握った。しかし、アメリカ合衆国の支配は必ずしも順調に行われたわけではなかった。アメリカ合衆国の支配に対しては、各国で激しい反抗があった。

ハイチでは、武装農民の反乱があり、鎮圧に約四年もかかった。とくに、ニカラグアでは和解協定を拒否したサンディーノ将軍がアメリカ合衆国の軍隊を相手にゲリラ戦で抵抗し、一九三三年ついに撤退のやむなきに至った。第六回米州諸国会議では、ラテンアメリカ諸国の声として、諸国の代表がアメリカ合衆国の干渉政策に反対する態度を表明した。アメリカ合衆国側は、これに対し、民主党政権が成立するや、フランクリン・ルーズベルト大統領はこれまでの武力干渉政策を改め「善隣政策」への転換を図り、第七回米州諸国会議では条件つきで、不干渉政策を表明した。これにより、アメリカはプラット修正を撤廃し、ニカラグアからの海兵隊の撤退を実施した。善隣政策により諸国の協調を引き出したアメリカ合衆国は、第二次大戦では、ラテンアメリカ諸国を対枢軸国への宣戦に駆りたてるのに成功した。

第二次大戦後は冷たい戦争の進行とともに、アメリカ合衆国は反共的な政策を進め、その一環としてラテンアメリカ諸国と一九四七年米州相互援助条約が結ばれ、翌年の米州機構の創設となった。

共産主義封じ込めのリーダーとして西欧、中東、アジアと反共政策を進めているアメリカ合衆国にとって、地元のアメリカ大陸に共産主義はあってはならないことであった。したがって、膝元のグアテラマで、一九五一年、民族主義にたつ改革派のアルベンス政権が大土地所有制にメスを入れ、自国民の大土地所有だけでなく、アメリカのユナイテッド・フルーツ会社の大土地も接収の対象にし、国有化に踏み切ると、この政権を共産主義とレッテルを張り、ＣＩＡが援助して亡命グアテマラ人の反革命軍を越境侵入させ、転覆させせてしまった。

その後も、一九八三年グレナダに左翼政権ができると、アメリカ合衆国軍を直接投入して崩壊に導いたり、一九八五年には、四〇年間独裁政を続け、一族で国富を独占したソモサ政権を打倒したサンディニスタ民族解放戦線の左翼政権に対し反政府ゲリラ（コントラ）を援助するなど、アメリカ合衆国の反共に基づく武力干渉は枚挙に暇がないくらいであるが、その反共十字軍の旗頭アメリカ合衆国の鼻っ柱を折ったのが一九五九年に起こったキューバ革命であった。

カストロ政権は当初は民族主義に立っていたが、米ソの対立の中で、土地改革を機に六一年末アメリカ合衆国と国交断絶し、社会主義路線に立つことを明らかにした。アメリカ合衆国は亡命者を組織し、反革命を企てたが失敗に終わった。キューバの革命成功はラテンアメリカ各国の革命勢力を勇気づけた。改革の波は教会にも押し寄せ、カトリック教会の中には「解放の神学」を掲げ、スラム街に入り、虐げられた人と行動を共にし、土地改革など社会の変革をめざして戦う神父も現れた。

キューバ革命に対し、アメリカ合衆国は外交的、経済的にキューバの封じ込めを図るとともにケネディ及びその後の大統領の下で、一九六一年以来「進歩のための同盟」と称する第二のキューバ革命を防止するための長期的な予防政策を打ち出した。アメリカ合衆国は税制改革や農地改革などにより、この地域の不公正の根を絶つ社会改革を行うことを条件に、十年間に二〇〇億ドルの援助を行って、革命の原因となった大土地所有制や独裁政治をなくそうとした。

しかし、その効果は期待したほど上がらず、土地改革も多くの国で実施されなかった。それどころか、六十年代後半に入ると、ブラジル、アルゼンチン、ペルーなどでクーデターによって相次いで軍事政権が誕生した。七十年代に入ると、軍部のクーデターは民主政が続いていたウルグアイやチリにも及んだ。チリでは社会主義政策を進めてきた社会・共産両党の人民連合のアジェンデ政権が、ＣＩＡの援助によってピノチェト軍事政権に替わり弾圧の嵐が吹き荒れた。

これらの軍事独裁政権は従来のカウディーリョ（ボス）的軍事政権のような実力者や軍の一部によって行われるものとは異なって、政策能力のある有能な将校団が軍をあげて行うもので、これら革新的な将校団が行政の要職を務め、ときには左翼知識人や革命家も取り込んで、大土地所有制の解体などを強権で進めた。

たとえば、一九六八年ペルーに成立したベラスコ軍事政権は大土地所有を徹底的に解体し、外国資本の鉱山や会社を国有化し、左翼的な社会改革を推進し、従来の軍事政権の持っていた保守的なイメージを一新させた。一九六四年のクーデターで登場したブラジルの軍事政権は民主的活動を強権で押さえると同時に、税制や資本市場などの改革を断行し外資を積極的に導入して、工業製品の輸出促進を図った結果、一九六八年から七三間に年平均一〇%以上の高度経済成長を達成しブラジル経済の奇跡として世界の注目を浴びた。

しかしこのような軍部による強権発動した経済政策も一九八〇年代に入ると陰りを見せるようになった。先進諸国の景気が石油危機で停滞したことにより国際収支が悪化し、どこも対外債務を激増させ、経済の成長率は低下し、失業者が増大していったからである。民衆の不満は高まり累積債務を処理出来ず、政権を放棄する場合が多くなり、軍政から民政にしだいに移行していった。

一九九〇年代に入るとソ連を中心とした社会主義圏の崩壊とともに、それに依存していたキューバが砂糖一辺倒の経済と併せて、立場が苦しくなり、社会主義化が特効薬でないことを知らしめ、中南米の革命は退潮に向かっていった。

一方、軍政から民政に転換した各国とも、累積債務の解消と不況からの脱却を図り、自由経済への転換が従来の強権による所得の再配分や経済改革に代わって支配的となってきた。

先進国等から輸入してきた工業製品の生産・供給を国内企業が代替する輸入代替工業化政策を、これまでラテンアメリカ諸国は行ってきたが、80年代に入ると、多くの国が債務超過におちいり、対外債務の支払いが困難になった。これを打開するためにＩＭＦ（国際通貨基金）が乗り出してきた。ＩＭＦは、経済危機におちいった国に対し融資を 行うと同時に経済自由化を求めてきた。そのため、各国は、貿易や資本の自由化、規制緩和、国営企業民営化など新自由主義的政策を導入せざるをえなかったが、これによって、一先ず経済危機は回避された。しかしながら市場経済の導入は貧富の格差を増大させる。失業率が上昇し、生活が苦しくなった庶民から不満の声が上がり、ＩＭＦによる米国主導で行われてきた新自由主義政策が批判にさらされた。その結果、１９９９年にはベネズエラで反米・反新自由主義をスローガンにしたチャベスが大統領に就任した。これを契機として、その後、ブラジル、アルゼンチン、ウルグアイ、ボリビア、エクアドル、ペルーなど南米各国で反自由主義を掲げた左派政権が誕生し、今日にいたる。

第8章　南の前途

南の地域は、政治的には第三世界と呼ばれ、経済的には後進国、その後、発展途上国と呼び方は昇格したが、実態は変わっているわけではない。

自由貿易の大義名分の下に国内市場は握られ、北の国々に奉仕する農産物・鉱産物すなわち一次産品の輸出貿易に依存せざるを得ず、国際市況に翻弄され、債務を抱え込む現状となっている。北の国々・先進国は債権側として、南の国々の内政に干渉し、経済の民主化、政治の民主化を押しつけている。

ソ連崩壊後、アメリカを中心に自由主義の名の下に市場経済が錦の御旗のように全世界を覆い、均一化された商品、生活が人々をとらえ、南の国々の伝統的な商品や生活は効率的でないとして捨て去られている。そういう中にあって南の人々の間には、昔ながらの大家族や共同体に見られる助け合いや相互扶助の生き方が今なお根強く残っていて、大地に根ざしたしぶとさで、南の文化や社会を支えている。

されればといって今や南の人々も原始に戻って自然と一体となった生活ができるわけではない。自然への回帰は北の国々の理念であって、南の国々も、好むと好まないにかかわらず、商品経済の波に洗われ生活の効率化を進めていかざるを得ない状況にきている。ただ南の国々は北にはない豊かな自然と多様な歴史や文化を今なお豊富に残している。これを生かしながら、北の市場原理による近代化といかに共存していくかが、南の国々のこれからの課題であろう。

歴史の大きな流れは、文明が爛熟し、生気を失うと、文明の辺境にあって、未発達な地域が伝統の束縛を受けず、新しい視点から、次の文明を興す例が多い。いま逼塞【ひっそく】している南の地域のいずれかが形骸化した北の国々に代わって新しい文明の波を醸成するかもしれない。それは誰にも予測できないことである。

北の国々は、大陸周辺にあって、海洋や河川が地域を結びつけ、互いに経済的、文化的刺激を与え、経済や文化の交流と発展を促した。これに対し南の地域は、大洋が間を隔て、大陸として孤立していたところが多く、経済や文化的刺激が少なかった。しかし科学の発達により交通手段が進歩し、地域間の空間的、時間的隔たりは少なくなっている。

南の地域も経済的文化的な交流の中で、新しい価値を担った未来へ飛翔している途上にある。

補章　世界における戦争違法化の歩み

戦争は、政治集団の間で、紛争解決のため、武力を組織的に行使することにある。戦争は人類の歴史とともに古くからある現象で、洞窟壁画で弓矢の対人使用が見られるように、石器時代の狩猟採集の時代から、戦争は存在する。狩猟採集時代は移動生活であったため嫁とり、猟場をめぐる紛争など散発的、偶発的な戦いが多く、待ち伏せや襲撃などの形をとるが、犠牲を少なくするため、一定のパターンで儀式化した戦闘が多かった。したがって、旧石器時代の戦争は広義の戦争ではあるが、戦争というよりも、紛争・争いといった方がよい。

紛争・争いが儀式から戦争に変わったのは新石器時代の農耕開始と定住が始まってからである。農耕牧畜が始まり、耕地、牧場の重要性が増すにつれて、それをめぐる戦争が始まる。それとともに戦士集団が形成され、農地や水利を管理するため国家が成立し、戦争が頻発する。国家成立とともに、戦争が本格化する。

人類は、その祖先の動物から闘争性を遺伝的に受け継ぎ、戦争を起こすのは本能であり、戦争は永久になくならないという主張もあるが、一九八六年のユネスコ会議で科学的根拠なしとして否定された。

戦争は、約六〇〇〇年前、古代の文明が始まるとともに発生した。古代エジプト、メソポタミア、中国では、国家が建設されると、軍事制度が発達し、戦争は組織的に大規模になる。以来、二一世紀の今日まで国家の消長とともに戦争が生起した。

古代中国では、天命をうけ、天に代わって、有徳の士が天子となり、仁愛により天下を支配した。天子の片腕となった官僚は仁愛の精神を科挙で試されて、文官に登用され人民を支配した。武ではなく文による統治が行なわれた。武は卑しまれ、良い鉄は釘として打たれないように良い人は兵士にならないと言われ、軍人や兵士は奴隷に近い賤しい身分であったので、王朝交代期以外は戦争は少なかった。それにひきかえ、ヨーロッパは基本的に牧畜民の社会であったので、家畜の去勢や屠殺で血を見るのは、日常茶飯事で戦争が絶え間ない社会であった。

戦争に従事・参加することは、国家の担い手の義務となった。古代ギリシャでは、武器を持って戦争に参加することが市民の条件であった。女性は祖国防衛、勢力拡大の戦争に参加できないので、参政権はなかった。古代ギリシャの市民社会、古代ローマの市民社会、騎士＝ナイトの時代であるヨーロッパ中世、みな同じく、基本的には戦争を担う男子中心の社会であった。ルイ（戦いの誉れ）、リチャード（強力、豪胆）、ウイリアム（意志と兜）など、人名にも武勇や武器を意味するものが多く、戦闘は日常生活の一部であった。女性には十九世紀まで参政権・市民権はなかった。十九世紀までは、軍務履行、従軍が政治参加の条件であり、戦争に参加することは市民の特権であったからである。女性に参政権が与えられたのは、アメリカ合衆国では、アメリカが一九二〇年、フランス・イタリアでは一九四五年である。今日でもアメリカ合衆国では、国籍の取得にあたって、憲法の擁護、旧母国に対する忠誠の放棄、アメリカ合衆国のため武器を取ることなどの「忠誠宣誓」を行わせている（「アメリカ移民及び国籍法」）。

第一次大戦前までは、戦争は当たり前の時代で、戦争反対の思想は祖国防衛の義務が履行できない臆病者か軟弱者扱いにされた。やさしく思いやりのある女性・母性原理より逞しく、厳格さという父性・男性原理に高い価値が置かれた。ところで、このような十九世紀以前の戦争原理が支配的であった時代に戦争中止・平和主張は容易なことではなかったが、なかったわけではない。

たとえば古代ギリシャでは、四年ごとのオリンピア競技の期間、戦争は中止された。オリンピアのあるエリス地方の使者が馬に乗ってギリシャ全土にオリンピア休戦（エケイリア）を触れ回った。またギリシャの作家、アリストファネスは、アテネとスパルタの闘っているお互いの国の妻たちが性的ストライキをして男たちに戦争を止めさせようとする「女と平和」というコメディを上演し、反戦と平和を訴えた。

1　正戦と不正戦の区別

古代ギリシャでは、ヘラクレイトスのように、「戦いは万物の父、万物の王」といって、戦争を美化し、文明の発達に寄与するといって憚らない戦争肯定論者もいないわけではなかったが、多くの人は、戦争をすべて認めていたわけではなく、正しい戦争と不正の戦争を区別し、不正の戦争は否定された。ちょうど、現在、侵略戦争は否定されるが、自衛戦争は正しいとする議論と同じである。『歴史』を書いたポリビオスが、その代表的論者で、戦争を原因や目的によって正しい戦争とそうでない戦争を区別し、前者のみを合法とした

（竹島俊之訳、ポリュビオス『世界史』龍渓書舎）。

この考え方はローマのキケロやアウグスティヌスに受け継がれた。アウグスティヌスは『神の国』などにおいてキリスト教は正義の戦争を禁止していないことを説き、中世ヨーロッパの正戦論となった。中世ヨーロッパで正戦論を神学的に集大成したのはトマス・アクイナスであった（高田三郎・稲垣良典・山田晶ほか訳『神学大全』創文社）。かれは「神学大全」の中の「戦争論」の項で、戦争が認められる正戦の条件として

①「正当な権威」をもった君主の命令で行われること

②相手が不正を犯し、これを処罰すべき「正当な理由」があること

③相手の不正を改めさせ、これを矯正させるという「正しい意図」があること。

の三つを挙げた。しかし、ここで言う正義と不正義の区別は、教会の立場からする主観的なもので、十字軍戦争や伝道戦争は、神の立場から正義と位置づけられた。近世に入って、十七世紀、正戦論を神学から解き放って、自然法に則って、法の立場から論じたのが、グロティウスであった。かれは「戦争と平和の法」の中で、正戦を行なう根拠として侵略・侵害されたこと以外にない。として

①自己防衛（自己の生命、身体、財産に対する）
②回復（侵略・侵害されたものを自己に取り戻す）
③処罰

の三つを正しい戦争の原因に挙げ、侵略戦争を犯罪とした。

それと同時に彼は一旦発生してしまった戦争の惨禍の拡大を防ぐために、正戦を行う側にも不正戦を行う側にも戦闘行為に一定の制限を課している。この点に従来の正戦論とは異なる彼の理論の独自性があった（一又正雄訳、グロティウス「戦争と平和の法」巌松堂）。

しかし、侵略戦争とそれへの処罰戦争を区別、見分けるのに自然法に拠るしかないというところに問題があった（木原政樹「国家の国際犯罪としての侵略」立命館法学二七三号）。

十八世紀に入るとサン＝ピエール、ルソー、カントが、それぞれの立場から、侵略戦争否定し、平和構想をたてた。サン＝ピエールは「永久平和論」でヨーロッパ諸君主の国家連合体と強力な常設議会を持つ国際的な平和団体の結成を呼びかけ、戦争放棄と軍縮を打ち出した。今日のＥＵの原型の一つである。ルソーは「永久平和論批判」において、サン＝ピエールの案を批判し、君主の同意を求めるのは無意味とし、これに代わって、小国家連合を構想したが、その前提となる直接民主政の小国家をいかに創出するかには言及していない。カントは「永久平和のために」を著し、戦力の放棄、侵略戦争遂行のための常備軍全廃を訴えた。（三石善吉「戦争違法化とその歴史」『東京家政学院筑波女子大学紀要』第８集）

このような十八世紀の平和思想に影響される中で、中世カトリック神学の正戦論と近世の自然法に基づくグロティウスの正戦論を世俗化、合理化し、実定憲法化したのが、フランス革命時の一七九一年憲法である。「フランス国民は、征服を行う目的で、いかなる戦争を企図することをも放棄し、かつ、その武力をいかなる人民の自由に対しても使用しない」と規定し、「立法府が侵略であることを発見すれば、侵略の主犯者は犯罪として訴追される」という制裁措置を設けていた（フランス一七九一年九月三日憲法第六篇）。フランス一七九一年憲法は、征服戦争放棄の最初の憲法で、諸外国に影響を与えたが、一国レベルの戦争違法化にとどまり、国家間を制約する国際条約になるまでには、さらに一世紀以上またねばならなかった。

近世の自然法に基づく正戦論も十七・十八世紀に入って意味を失ってきた。十字軍戦争以後ヨーロッパでは、封建制が崩壊し、封建領主単位の分断支配・地方分権にかわって絶対王権による国家的統一が進み、中央集権化していった。三十年戦争後のウエストファリア講和会議では、ヨーロッパ全体を覆うローマ教皇や神聖ローマ皇帝の統一的、普遍的権威が否定され、多数の主権的領土国家の併存が確認されるに至った。かくして、これらの統一国家どうしの大規模な戦争が、十八世紀になると、頻繁に起こり、正戦と不正戦の区別が困難になってきた。現に戦争を行っている国のどちらが正当でどちらがそうでないかの認定は中世にあっては、国家の上位にあるローマ教皇や神聖ローマ皇帝という普遍的権威があって、キリスト教的正義を守る側を正戦、そうでない側を不正戦と判定出来たが、神を前提としない自然法ないし国際法の下では、国家は互いに同格の主権国家で、その上位に立って判定出来る権威はなく、また仮に不正と判定しても、それを制裁する上位の軍事組織は存在しなかった。

2 無差別戦争観

したがって正戦論は理論的に成立しても、それを支える条件が失われ、現実の戦争の正当性を吟味する上で、実際的な意味を持たなくなった。十八世紀を代表する国際法学者ヴァッテルは主権国家は平等、独立で、お互いに相手を裁くことができないから、主権国家間の戦争はいずれも平等に合法的なものであるとした（田畑茂二郎『現代』国際法の課題」東信堂）。戦争について、一方を正、他方を不正と差別化することはできないという無差別戦争観がここに成立し、戦争は国際紛争解決の正当な手段として合法化され、戦争の当否を問わず、国際法の手続きに従ってさえおれば合法とみなされた。戦争を行なうことの合法性を問う国際法から交戦行為の合法性を問う国際法へと焦点が移り、国際法は正戦論から交戦の規則を定めた戦時国際法へと転換を余儀なくされた。戦争になれば、交戦国間には戦時国際法が、交戦国とそれ以外との間には中立法規が適用された。

戦争は平等な主権国家間の決闘であって、戦時国際法はその決闘のルールとされた（城戸正彦『戦争と国際法』嵯峨野書院）。戦争がいいか悪いかでなく、戦争のやり方、形式が国際法の討議すべき課題となった。十九世紀以降、交戦法規や中立法規が数多く制定され、条約化された。中でも一八九九年と一九〇七年にハーグ平和会議で採択された多くの条約や宣言は戦争遂行の手段に対する規制や中立国が遵守すべき規則を定めた代表的なもので、毒物（毒ガスなど）や不必要な苦痛を与える兵器（命中すると体内で破裂するダムダム弾など）の使用禁止や傷病兵や捕虜に一定の保護を与えることなどを定めた「陸戦の法規・慣例に関する条約」や開戦時の宣戦布告の義務化が定められた「開戦に関する条約」など戦争の手続きを法で定めた。

戦争は戦意の表明によって発生する。その表明のしかたを決めたのが「開戦に関する条約」であった。戦意の表明のない場合は戦争に至らない武力行使とみなされ、戦争法は適用されなかった。日本はそのいずれの条約にも参加し、そのいずれにも違反して大東亜戦争を起こし、極東軍事裁判で、それらの法違反として裁かれた

無差別戦争観による戦争の自由化で、二十世紀に至るまで数多くの戦争が行われた。十八世紀のスペイン継承戦争、十九世紀の普仏戦争はその代表例である。フランス戦争学研究所によれば一七四〇年（オーストリア継承戦争）から一九七九年（ソ連のアフガニスタン

侵攻)までの間に三七七件の主要な武力紛争が起こっている。

クラウゼヴィッツは「戦争論」において「戦争は政治とは異なる手段による政治の継続である。戦争は政治的行為であり、政治の道具である」と定義したが(クラウゼヴィッツ、篠田英雄訳「戦争論」岩波文庫)、十六世紀から十九世紀に至るまで、ヨーロッパでは、政治の継続としての覇権をめぐる戦争が熾烈を極めた。この無差別戦争の間、小国は同盟を結ぶか、中立を守るかで、安全を保障しようとした。

もっとも無差別戦争観に基づく戦争の自由化、無法化といっても、ヨーロッパという文明共同体という観念が背景にあり、その共同体内でのルールに基づく戦争なのであって、相手の殲滅化、奴隷化、植民地化を目指してはならないという暗黙の前提があった(山内進「正しい戦争という思想」勁草書房二〇〇六年)。従って、ヨーロッパ以外の地は、国際法の埒外で、このルールは適用されないので、自然法によるしかなく、無主地に対する征服という形でヨーロッパによるアジア・アフリカの植民地化が列強の間で行われた。

戦争無制限の中での戦争抑制・防止策としては、勢力均衡方式がとられた。双方の勢力が均衡すれば、相手を攻撃できなくなり、膨張が押さえられ、結果として戦争防止と平和維持がなされる。そのために外交交渉が重視された。しかし十九世紀末になると、勢力均衡の維持のため、間に挟まれた小国やアジア、アフリカの植民地などが争奪の的となり、分割が進んだことにより、均衡を保とうとして軍拡競争と同盟網拡大を激化させ、結局はセルビア、ボスニア・ヘルツエゴビナをめぐり第一次大戦が起こってしまった。

ウエストファリア条約以後の勢力均衡は、ナポレオン戦争で崩れ、ウイーン体制以後の勢力均衡は第一次大戦で崩れた。

3　集団安全保障に基づく差別違法戦争観へ

戦争の無法化、自由化に対し、戦争を違法とする考え方は第一次大戦前からすでに唱え始められていた。戦争違法化への試みは、第二回ハーグ平和会議で締結されたポーター条約（一九〇七）とブライアン条約（一九一四）に始まる。ポーター条約はポーター将軍によって提案されたのでこう名づけられたが、「契約上の債務回収のためにする兵力使用の制限に関する条約」が公式名。英独伊などが借金の取り立てのため中南米に艦隊を派遣して海上封鎖を行ったことを非としたもの。これは兵力使用を禁止したものではなかったが、その後、一定期間戦争に訴えることを禁止するいわゆる戦争モラトリアムが現れた。一九一三―一四年に米国がいくつかの国家と締結したブライアン諸条約がそれで、紛争処理のための審査委員会を常設し、その報告が出されるまでの間、兵力使用を禁止した。これらは戦争に訴えることを禁止するだけで、交戦権を禁止しているものではなかったが、世界の歴史上、戦争の違法化に向けてルールを作ろうとした始まりであった。しかし、武力紛争・戦争の法的規制を越えて戦争そのものの禁止・違法化しようということは、当時としては思いもつかぬことであった。

しかし、このような流れの中で第一次大戦は相貌を一変させた。それまでの戦争は、戦争が兵士、軍隊の間にとどまり、民間人（非戦闘員）は戦争の埒外であり、軍隊の強弱により勝敗が決まった。これに対し第一次大戦は総力戦と言われ、軍事力だけでなく、工業力、農業生産力（食糧確保）、それらを支える労働力が総動員され、老人、婦女子を含む民間人（非戦闘員）の戦争協力、宣伝と思想の大々的展開が行われる総力戦であった（「歴史学事典」第7巻　戦争様式)。六三二一万人の兵士が参加し、八五四万人の兵士と六六四万の民間人が死亡した。戦勝国、敗戦国を問わず被害は甚大で、未曾有の戦禍は平和的観念の高まりを生み出し、各国は戦争に対する考え方を転換させ、戦争の違法化への流れが加速した。

ロシア革命で政権を握ったレーニンのソビエト政権はドイツと単独講和を結んで戦争から離脱し、「平和の布告」を出し、無併合、無賠償、民族自決の原則の下で即時戦争終結を主張した。これに対抗してアメリカ大統領ウイルソンは「一四か条の平和原則」を発表し、秘密外交の廃止、海洋の自由、関税障壁の撤廃、軍備縮小、国際平和機構の設立を提起した。この平和原則が第一次大戦のパリ講和会議で採用され、講和条約としてヴェルサイユ条約が締結された。

そのヴェルサイユ条約の第一章に国際連盟規約が掲げられ、一般的な制度として国際法に始めて戦争の違法化が取り上げられ、国際連盟という国際平和のための政治組織が一九二〇年、発足した。この国際連盟の成立で、国際間の紛争を軍事力で解決することが禁止され、違反国には加盟国全体が共同で当たるという集団的安全保障体制が始まる。これまでの勢力均衡政策による平和から集団的安全保障体制による平和への転換である。

国際連盟規約では、まず前文で、加盟国には戦争に訴えない義務が課せられた。その義務は三つあり、国交断絶のおそれのある紛争が起こった場合、①それを国際裁判所による裁判か連盟理事会の審査に付す義務②裁判の判決または理事会の報告の後、三か月以内には戦争に訴えない義務、③三か月経過後も判決や報告書の勧告に従う国には戦争に訴えない義務が課せられ、戦争猶予期間（モラトリアム）が設けられた。すなわち国際連盟は一定の範囲内で不十分であるが、歴史的に、国際法で戦争を禁止した最初のケースであるが、注意すべきは、戦争を全面的に禁止したものではないという点である。

即ち三ヵ月経過後、判決や報告書の勧告に従わない国に対して戦争を行なうことができた。さらに紛争当事国を除く理事会の全会一致の勧告が得られなかった場合、戦争を含めて必要と認める手段をとることが許された。また「戦争に訴える」という表現を用いたために、宣戦布告など戦意を表明しない武力紛争は規約違反にならなかった。

連盟規約に違反して戦争を行なう国に対しては集団安全保障体制のかなめとしての制裁措置があったが、通商上、金融上の関係をたち、国民どうしの一切の交通を禁止するという集団的経済制裁が基軸で、軍事的反撃については、兵力使用を理事会が関係諸国に提案するだけにとどまっていた。

この国際連盟規約の欠陥を是正するために、第五回国際連盟総会は一九二四年「ジュネーブ議定書」を採択し、すべての国際紛争に対して拘束力ある解決を与える制度をつくり、戦争の禁止をより徹底させようとしたが、多くの加盟国の賛成得られず未発効に終わった（城戸正彦「戦争と国際法」第一章第二節　戦争違法化の試み　一九九三年　嵯峨野書院）。

しかし、この「ジュネーブ議定書」並びに前年の一九二三年に採択された「相互援助条約案」は、いずれも成立しなかったが、前文あるいは第一条で、侵略戦争は国際犯罪であると宣言しており、国際連盟規約の戦争違法化の規定を一歩進めて、侵略戦争が国際法違反であることが主張され、一九二〇年代には国際世論になっていった。

この戦争違法化、侵略戦争禁止の流れの中で、はじめて国際法で戦争を全面的に禁止した条約が、国際連盟の外部で達成された。一九二八年成立の不戦条約である。

国際連盟はアメリカが提案したにも関わらず、参加しなかった。アメリカは国際外交は伝統的に中立政策をとっていたため、ウイルソンの持ち帰った国際連盟規約は上院で批准されなかったためである。戦後の一九二〇年代、アメリカでは戦争非合法化運動なる市民運動がさかんであった。法律家のレビンソンの提唱で、哲学者のデューイなどが支援した。どの国でも戦争に反対し平和を訴える者はさまざまな理由をつけて監獄に送られる。戦争が合法であるからである。戦争を非合法化しようと訴えた。戦争は自衛の名の下に行われることが多いから、例外を設けずあらゆる戦争を違法とするよう、国際法と国際裁判所の設置を求めた。百万部以上のパンフレットが発行され、二百万人を越える署名が集まったという。不戦条約はこの運動の影響を受けたアメリカ国務長官ケロッグがフランスのブリアン外相と協同で提案したものである（河上暁弘「戦争の制限から廃絶へ」原水爆禁止日本国民会議講演から）。フランスは戦後のヨーロッパの安定政策に腐心し、ヨーロッパの安定には、連盟に参加しなかったアメリカの協力は不可欠と考え、ケロッグを誘ったのである。不戦条約は一九二八年八月両者によりパリで締結されたので、パリ不戦条約、またはケロッグ＝ブリアン協定ともいわれる。翌七月には六三ヵ国によって批准された。これは当時、九〇％以上の国に相当する。もちろん日本もこれに参加しており、日本の新憲法第九条はこの条約を淵源としており、文章もここからとっている。

国際連盟がはじめて戦争を違法として禁止したが、条件によっては戦争を容認していたのに対し、不戦条約では、戦争そのものを否定し、全面的に戦争の禁止が規定された。国際連盟規約の不備を補完し、期限の定めがなく、現在も効力をもつ現行法である。第一条で国家政策の手段としての戦争（＝侵略戦争）を放棄し、第二条で平和的手段以外の方法で紛争を処理することを禁止した。

しかし、不戦条約も国際法の観点から、いくつか問題があった。原則を規定しただけで、それを実際に可能にする制度的裏づけがなかった。まず、第一条の反対解釈から自衛戦争と制裁戦争の合法性が指摘される。各国は締結に際し、「自衛権を留保する」との意向が示され、自衛権に基づく戦争が国際的に登場するきっかけをつくった。また戦争の全面的禁止にかかわらず禁止違反に対する制裁措置の規定がなく実効性に疑問がもたれた。次に「戦争 war」という語が用いられたが、これは宣戦布告など「戦争」の意志表示がされた場合の法的意味の戦争を指すと理解された。そのため本条約成立後、各国は武力紛争に際し、宣戦を布告せず、「戦争 war」に変えて「紛争 dispute」または「事変 incident」の語を用いて事実上、戦争を行い、不戦条約違反ではないとして武力行使を正当化しようとした。イタリアのエチオピア侵略（一九三五年）、日本の日中戦争（一九三七年）、ソ連のポーランド侵略（一九三九年）と同じくソ連によるフィンランド侵略（一九三九年）はいずれも宣戦布告は出されない武力行使であった。

この条約が締結されて以後、侵略戦争は国際法上は違法とされ、犯罪と見なされるようになった。第二次大戦を起こしたドイツや日本は、その犯罪性が問われ、その指導者はこの条約によりニュルンベルクや東京裁判に処せられた。

第1次大戦後、国際連盟と不戦条約により戦争は違法、犯罪と認識されるにいたったが、戦争そのものは防ぐことが出来ず、第二次世界大戦の勃発に至った。

不戦条約では、自衛戦争について何も触れてないが、条約を制定する際、日本とイギリスが自衛権を明記するよう主張したのに対し、アメリカは主権国家に固有のものであるから触れる必要はないと突っぱねた。（筒井若水「自衛権」有斐閣選書）しかし、この自衛権が今後、戦争を正当化する理由になり、拡大解釈されていく。イギリスは自衛の範囲を植民地まで広げ、日本は利害関係地域（満州）に広げた。また日本は不戦条約で違法とされたのは、「戦争」であって「武力行使」はよいと考え、満州「事変」、上海「事変」という名目で事実上、侵略戦争を行った。

　第一次大戦前、戦争が合法とされた時代、平和維持の手段として勢力均衡が唱えられ同盟網が張り巡らされた。第1次大戦後はそれに変わって、集団的安全保障体制がとられ、そのかなめとして国際連盟が組織された。しかし、提案者のアメリカは上院の反対により参加しなかった。ロシア革命直後のソ連（一九三四年加盟）や第一次大戦の敗戦国ドイツ（一九二六年加盟）も当初参加しなかった。また、決定方式は多数決ではなく、全会一致であったこと、国際連盟軍を組織することが出来なかったので、規約違反国に軍事的制裁行えず、交通の禁止、金融上・通商上の関係断絶等の経済的制裁にとどまったことなど、欠陥が多かった。経済制裁の唯一の例がイタリアのエチオピア侵略（一九三五年）に対してであったが、石油の禁輸やスエズ運河封鎖などの強硬措置をふくまず、効果がなかった。イタリアは国際連盟の経済制裁などの措置を不服として連盟を脱退した。日本は満州事変に際し、連盟の裁定を不服として一九三三年連盟を脱退した。敗戦国ドイツはのち加盟を許されて常任理事国となったが、ヒトラーが政権をとるに及んで、日本に続いて脱退した。ソ連は一九三九年のフィンランド侵略を連盟は規約違反としてソ連を追放処分にした。こうして国際紛争に関係する大国が多く去ったので、国際連盟は機能を果たせず、一九四六年、国際連合の成立とともに正式に解散した。

戦争違法化の柱としての国際連盟と不戦条約の国際体制ができたが、結局、第二次世界大戦をとめることができなかった。それは世界があくまで建前としての戦争禁止、国際法の法律によって平和を築くというユートピア思想に寄りかかっていたからである。第一次大戦後の世界を牛耳っていたのは、戦勝国の英仏と大戦後の経済大国のアメリカであった。かれらは法律や体制を整備すれば戦争は防止できると考えたが、その目的をいかにして達成するかという観点を欠いていた。現実の世界は不平等で、敗戦国ドイツは賠償金を課せられ、経済は混乱していた。それに引き替え、債権国としてのアメリカは、経済的に繁栄していた。また植民地を多く持つイギリスやフランスに対し植民地を多く持たない日本やドイツ、イタリアという格差があった。国際連盟や不戦条約は米英仏の戦勝国を中心につくられた体制なので、不満が鬱積し、格差是正を求め、反乱が起き、第二次世界大戦になる。

しかし国際連盟は機能しなかったが、そこでの集団的安全保障体制の考え方は諸国の行動に影響を与えていった。日本の南進に対するアメリカの石油禁輸や在米資産の凍結は国際連盟の違法国に対する経済制裁手段であった。また第二次大戦で枢軸国と対立点がないにもかかわらず連合国に参加した国々は、制裁戦争には全員が参加するという集団的安全保障の意識が根底にあったからである。（猪口邦子「戦争と平和」第六章　東京大学出版会）

4　戦争違法化と正戦論の復活

国際連合（United Nations）は第二次大戦中の連合国（United nations）によって結成された、大戦後の平和を目指した機構であった。国際連合憲章は、一九四五年六月にサンフランシスコで調印され、一九四五年十月に発効した。

国際連盟と不戦条約の不完全性に対し、第二次大戦後の国際連合の憲章は、戦争違法化、戦争禁止、戦争放棄の流れを明確化した。

まず国際連盟と不戦条約と大きく異なる点は、従来のように戦争の名を用いないで武力行使をする余地を残さないよう、「戦争」という表現にかえて「武力による威嚇または衝突」という表現を採用し、形式的、法的な戦争にかえて事実上の戦争に終止符を打とうとしたことである。

また戦争放棄を規定し「すべての加盟国は、……武力による威嚇または武力の行使を……慎まなければならない」(第二条の原則第四項)とした。しかし、この点は、日本国憲法の第九条「武力による威嚇または武力の行使は……放棄する」の「放棄する」に対し「慎まなければならない」とする表現が注意すべき点で、完全な戦争放棄でなく、①違反国に対する制裁戦争と②自衛戦争は正当化した。一定の条件の下での戦争を認めたので、正戦論の復活とも言える。

〔制裁戦争〕

第二条に規定された武力行使禁止の原則に違反した場合の制裁は、国際連合により集団的に行われる。その要になるのが安全保障理事会であり、その常任理事国は第二次大戦中の連合国であった米、中、英、仏、ソ連の五大国により構成され、拒否権が与えられ、大国一致による強力な戦争防止・安全保障体制がとられた。

その制裁措置は第一次大戦後の国際連盟が経済制裁のみに限られ失敗した前例に鑑み、必要な措置（五一条）として、経済制裁、外交関係の断絶、等の非軍事的措置、それが不十分な場合は軍事的措置として陸海空軍による行為、示威、封鎖（四一条）を定めている。いわば、戦争放棄の原則の例外の①で、制裁としての戦争である。

〔自衛戦争〕

戦争放棄の原則の第②の例外が自衛戦争を認めたことである。第五一条で武力攻撃が発生した場合、安全保障理事会が適当な措置をとるまでの間、個別的、集団的自衛権を認めた。集団的自衛権は安保理事会の許可の下、応戦範囲を一国だけでなく、地域同盟に基づく範囲まで広げ、同盟国が攻撃された場合、その国が攻撃されてなくても、同盟国の自衛戦争に参加してよいとしたもの。

この自衛権については、解釈が武力攻撃がされた後でなければ、発動出来ないという説とその脅威がある場合にそれを見越して「先制的自衛」が出来るという説とに分かれている。

5　国連軍と集団的自衛権

〔国連軍〕

国際連合は第二次大戦の連合国で日独の枢軸国に宣戦している国によって形成されたもので、軍事制裁に当たって、侵略者の認定に五大国の一致が要求されている（二七条）。これがいわゆる拒否権で、これが乱発され、軍事制裁はほとんど効果を発揮できなかった。国際連合憲章の制定当時、将来の侵略者に第二次大戦の枢軸国を予測し、五大国から該当国が出ることを予定していなかった。ところが国際連合成立後、まもなく、米ソを中心に連合国内部が分裂し、冷戦が始まったので、五大国が一致することはあり得なくなった。

（筒井若水「戦争と法」　第一部　現代の正戦論　Ⅲ正戦論の復活）

国連の軍事制裁は、その中心となって責任をおったのが安全保障理事会である。

1、まず侵略行為を認定し（三九条）、2、制裁の時期と措置を決定し（三九、四一、四二条）3、加盟国は特別協定に基づき、陸、海、空軍の兵力を提供し国連軍を組織する（四二、四三条）というしくみであったが、特別協定は現在に至るまで、どの国とも1件も締結されておらず、したがって国連軍も正式な形では一度も組織されたことはない。朝鮮戦争時の国連軍の実態は米韓連合軍で、正規の国連軍としては認められてない。現在では、国連軍の組織化は困難なので、安全保障理事会が権限を委任した多国籍軍が軍事制裁を行うようになっているが、多国籍軍への参加は任意なので、兵数を最も多く出した国が指揮をとる等の問題点がある。

〔地域的集団安全保障と集団的自衛権〕

世界の一地域内だけで済むような紛争や事件については、地域内だけで地域的協定を結び、処理できるよう、すでに憲章第八章の「地域的取り極め」で扱われていた。ただし第五二条と五三条で、国連の統制下におかれ、その「強制措置」には安保理の許可が必要であった。そのような地域的協定の一つにラテンアメリカ諸国の相互安全保障のためのチャプルテペック協定があり、国連発足前にすでに結ばれていた。しかしヤルタ会談で、五大国の拒否権が認められたため、地域内の安全保障活動が場合によっては、大国の拒否権で否定される恐れが出てきた。拒否権をもつ安保理の許可なしに、地域的集団安全保障が不可能になったため、米州機構が不満をもつにいたったが、これをアメリカがたくみに利用し、憲章第五一条に集団的自衛権が挿入されることになった。集団的自衛権は当初の草案になかったものである。この集団的自衛権は国連の統制が及ばない例外の一つであったが、折から国連発足当初に予想もしなかった米ソの対立という五大国の仲間割れにより、両陣営の対立に利用され、国際連合の戦争防止機能を弱める原因となった。

国連発足後、さまざまな地域的軍事同盟が出来た。たとえば北大西洋条約機構、ワルシャワ条約機構、東南アジア条約機構、日米安全保障条約など、これらは、みな仮装敵国を想定し、この集団的自衛権を援用して、攻撃を受けた締結国を援助することが規定されている。

6　戦争違法化と戦争の回避

十九世紀までの無差別戦争観により戦争を合法とした時代が二十世紀に入って差別違法戦争観により戦争は違法とされ、法的に禁止の時代に入ったが、事実としての戦争は消滅せず、現在まで続けられている。戦争を違法とする最後の国際法が国連憲章だが、安保理事会を中心とする戦争防止機能は冷戦による五大国の対立で拒否権が乱発され機能しなかった。国連が制裁戦争と自衛戦争を認めた正戦論に立ったため、制裁戦争と自衛戦争を論拠とする戦争が続発した。また常任理事国である五大国が起こし、関与した戦争には国連は無力であった。戦争禁止を標榜した国連はこれにどう対応したであろうか。

憲章の戦争禁止に違反し、戦争を起こした国に対して、軍事制裁を行えることが、国際連盟にはない規定だったただが、その制裁のための国連軍が組織されることは、ついになかった。一九五〇年、六月朝鮮戦争のとき派遣された国連軍は、実際は国連軍ではなく、ソ連が中国代表権問題で安保理事会をボイコットして欠席したため、拒否権が使われず、軍事制裁の米国案が採択可決されたに過ぎず、実態は米韓連合軍あった。しかし八月ソ連が安保理に復帰し、拒否権を行使したので、それ以後、朝鮮問題について制裁行動はとることができなかった。

国連の集団的安全保障制度は国際連盟が全会一致方式で動きがとれなかった反省から全会一致に替えて、多数決制度を採用し、迅速な対応を図ったが、拒否権制度をとったため、五大国の一つでも反対すれば、決定できなかった。大国の反対を無視して軍事制裁措置を行えば、大国間の武力衝突に至る危険性を孕んでおり、朝鮮戦争がそれを実証した。

四二条に規定する軍事的強制措置として、国連軍を組織するには、四三条により安保理事会で特別協定を結ぶ必要があったが、大国（米ソ）間の意見が対立し、特別協定は未成立で、常設された国連軍はいまだ存在しない。

そこで今後、朝鮮戦争のような事態が再び起こった場合、大国（ソ連）の拒否権行使の有無に関わらず、国連軍を組織する方法が求められ、一九五〇年十一月アメリカの提案で「平和のための結集」が総会で多数決で採択された。

これは拒否権行使で軍事制裁不可能になった安保理事会に代わって、拒否権のない総会に機能を移し、総会が軍隊の使用を含む強制的措置を図るというものであったが、加盟国はこの決議に基づく国連軍の組織化に消極的で実現に至っていない。大国の意見が不一致のまま集団的軍事措置をとると世界戦争を引き起こす可能性あるので、この体制も機能しなかった。

こうして国連の軍事的制裁は、その機能を果たさず、一九六四年から七五年にかけて続けられたアメリカによるベトナム戦争、七九年から八八年にかけてのソ連によるアフガニスタン戦争など、二十世紀の大戦争に対して国連はまったく無力であった。いずれも五大国の一つが戦争の当時国になっていたからである。

しかし、軍事的制裁に代わるものとして、平和維持活動（ＰＫＯ）が国連憲章の規定とは別に行われるようになった。一九五〇年十一月の「平和のための結集」決議に定められた緊急特別総会が一九五六年のスエズ戦争以後、しばしば開かれ、その結果、「平和維持活動（ＰＫＯ）」が誕生した。これは集団的安全保障でなく理事会や総会の勧告に基づき加盟国が自発的に協力して行う活動である。

一九五六年十一月スエズ運河をめぐる紛争で、イスラエル軍がエジプトに侵入し、これに英仏両国が軍事介入した。国連安保理事会は英仏の拒否権発動で活動は休止したが、「平和のための結集」決議に基づく緊急国連総会が開かれ、当事国に停戦と撤兵勧告がなされ、監視するための国際連合緊急軍（ＵＮＥＦ）を設置した。五大国の干渉を排除するため五大国以外の非同盟中立系の一〇ヵ国、約六〇〇〇人の兵力でつくられた。英仏、イスラエルは勧告を受け入れ、停戦と撤退の条件にこの国連緊急軍の派遣を求め、停戦が実施された。国連緊急軍は撤退を助け、駐留地の管理、捕虜交換などの警察的任務にあたった。以後、一九七三年の第四次中東戦争、一九六〇年のコンゴ内戦、一九六二年の西イリアン紛争、一九六三年のキプロス紛争、一九七八年のレバノン紛争、一九九三年のカンボジア紛争などで平和維持活動（ＰＫＯ）が展開された。平和維持活動は紛争当時国の同意と要請に基づき、現地駐留により停戦や兵力の撤退を促し、兵力の引き離しを監視する。要員は国連加盟国から自発的に派遣されるが、紛争の関係国は除外され、国連事務総長が任命する指揮官の指揮下に入る。経費は加盟国によって賄われる。この平和維持活動（ＰＫＯ）は国連憲章には規定されておらず、武力紛争が起こってからの活動だから、国連憲章第六章の紛争の平和的活動にも当たらず、受け入れ国の同意を前提としているので、国連憲章

第七章の強制措置にも当たらない。六章と七章の中間をいく中途半端な活動なので六章半の活動と言われている。

冷戦終結後は、ソ連を中心とした社会主義国群の勢力が弱まり、アメリカを中心とした国際秩序が強まってきたが、安保理事会でも五大国の協調が促進され、国連の集団的安全保障体制が息を吹き返してきた。ＰＫＯの活動も選挙監視、人権状況の監視、行政管理、人道援助の実施確保などに拡大してきている。とくに一九八〇年のイラクのクェート侵入に始まった湾岸戦争以後の中東紛争においてアメリカのイニシアチブが強まったが、安保理事会が矢継ぎ早に決議をだし、アメリカ軍を中心とした多国籍軍が活躍した。以後一九九一年のイラク北部でのクルド人保護、一九九二年のソマリアの内戦、一九九四年のルワンダの内戦、一九九三年のハイチの内紛、一九九七年のアルバニア内紛、一九九七年の中央アフリカの内戦、一九九五年のボスニア内戦、一九九六年のコソヴォ内戦、一九九九年の東ティモールの内紛、二〇〇二年以来のアフガニスタンの内戦などで、多国籍軍が出動し、紛争の鎮圧停戦維持、撤退監視などに当たっている。

しかし、この多国籍軍は安保理事会がお墨付きを与えたに過ぎず、国連憲章で規定する国連軍ではない。

多国籍軍の指揮と命令権は、多国籍軍の参加国がもっているもので、安保理が直接に多国籍軍を統御するものではない。ただ安保理の決議に基づき設置され、加盟国によって構成され、活動期間があり、報告の義務が課せられている。そういう意味では、国連直轄の国連軍ではないが、国連の管理下にある軍隊と言える。

7　結び

戦争違法と戦争禁止を原則とする国際連合が成立し、地球上のほとんどの国家が加入している現在、戦争は禁止され、戦争は無法行為と成った。まして核兵器に代表される大量破壊兵器のもたらす地球破滅的な被害が外交手段としての戦争を無意味化した。また一九九八年に調印され、二〇〇二年に発効した常設の国際刑事裁判所が活動しはじめ、戦争犯罪による人権蹂躙・ジェノサイドは裁かれることになった。しかし国際連合憲章は第二次大戦末期に枢軸国、ファシズム諸国の戦争を防止することを意識して制定されたもので、大量破壊兵器の核兵器はまだ存在していなかった。したがって国際連合方式は基本的には正戦論にたっており、憲章に違反して戦争を起こした国に対し、個別的、集団的自衛権の発動による戦争を認めていた。その点、日本国憲法は原爆投下され、核兵器の惨禍を見たあと制定されたもので、第九条は国際連合方式の個別的、集団的自衛権を認めておらず、国際連合憲章と矛盾する面を含んでいると言わざるを得ない。

国際連合は正戦論に立っているが、国家が併存する国際社会にあって、国連軍が未だ成立せず、核兵器のコントロールを始め、違反国を悪として制裁する公権力を国際連合は未だ確保してない。従って戦争を外交手段とする正戦論以前の無差別戦争観に基づいて戦争を起こす国を防止出来ないのが、現在の国際社会の現状である。

参考文献

人類の起源

石田英一郎・泉靖一他『人類学』東大出版会　一九六一年
海部陽介『人類がたどってきた道』NHKブックス　二〇〇五年
スティーブン・オッペンハイマー　仲村明子『人類の足跡一〇万年全史』草思社
二〇〇七年
斉藤成也『絵でわかる人類の進化』講談社　二〇〇九年
溝口優司『アフリカで誕生した人類が日本人になるまで』SB新書　二〇一一年
印東道子編『人類大移動』朝日新聞出版　二〇一二年
ブライアン・フェイガン　東郷エリカ訳『海を渡った人類の遥かな歴史』河出書房新社
二〇一三年
印東道子編『人類の移動誌』臨川書店　二〇一三年
アリス・ロバーツ　野中香方子訳『人類20万年遥かな旅路』文芸春秋社　二〇一三年

篠田謙一『ホモサピエンスの誕生と拡散』洋泉社　歴史新書　二〇一七年

アフリカ

B・デヴィッドソン、内山敏訳『古代アフリカの発見』紀伊国屋書店　一九六〇年
ドニーズ・ポーム川田順造訳『アフリカの民族と文化』白水社　一九六一年
R・オリヴァー編著、川田順造訳『アフリカ史の曙』岩波新書一九六二年
B・デヴィッドソン、内山敏訳『ブラック・マザー』理論社　一九六三年
デヴィッドソン、内山敏訳『アフリカ史案内』岩波新書　一九六四年
J・シユレ・カナール、野沢協訳『黒アフリカ史』理論社　一九六四年
中尾佐助『栽培植物と農耕の起源』岩波新書　一九六六年
B・デヴィッドソン、貫名美隆訳『アフリカの過去』理論社　一九六七年
川田順造『十五世紀のアフリカと地中海世界』大航海時代叢書Ⅱ岩波書店　一九六七年
山口昌男『前植民地時代のアフリカ』岩波講座世界歴史一六　一九七〇年

寺田和夫・木村重信『超える暗黒大陸』沈黙の世界史　新潮社　一九七〇年
川田順造『マグレブ紀行』中公新書　一九七一年
B・デヴィッドソン、貴名美隆・宮本正興訳『西アフリカの歴史』理論社　一九七五年
山口昌男『黒い大陸の栄光と悲惨』世界の歴史六　講談社　一九七七年
星昭・林晃史『アフリカ現代史1総説・南部アフリカ』山川出版社　一九七八年
岡倉登志『ブラックアフリカの歴史』三省堂　一九七九年
北沢洋子『黒いアフリカ』聖文社　一九八一年
川田順造『サバンナの手帖』新潮選書　一九八一年
篠田豊『苦悶するアフリカ』岩波新書　一九八五年
川田順造編『黒人アフリカの歴史世界』民族の世界史十二　山川出版社　一九八七年
林晃史編『アフリカの二十一世紀第一巻・アフリカの歴史』勁草書房　一九九一年
勝俣誠『現代アフリカ入門』岩波新書　一九九一年
川田順造『アフリカ』地域からの世界史9　朝日新聞社　一九九三年
勝俣誠『アフリカは本当に貧しいのか』朝日選書　四八二　一九九三年

宮本正興・松田素二編『新書アフリカ史』講談社現代新書　一九九七年
勝俣誠『新・現代アフリカ入門』岩波新書　二〇一三年

東南アジア

世界の歴史十三『南アジア世界の展開』筑摩書房　一九六一年
ハリソン、竹村正子訳『東南アジア史』みすず書房　一九六七年
坂本徳松『東南アジア』教養文庫　一九六七年
G・セデス、辛島昇他訳『インドシナ文明史』みすず書房　一九六九年
武村正子『帝国主義と東南アジア』同二十二　一九六九年
レイ・タン・コイ著、石沢良昭訳『東南アジア史』白水社　一九七〇年
和田久徳『東南アジア諸国家の成立』岩波講座世界歴史三　一九七〇年
西嶋定生『東南アジア世界の形成―総説』岩波講座世界歴史四　一九七〇年
和田久徳『東南アジア社会と国家の変貌』同十三　一九七一年

真保潤一郎他『十九世紀の東南アジア社会』同二十一　一九七一年
岩田慶治『東南アジアの小数民族』ＮＨＫブックス　一九七一年
佐々木高明『稲作以前』ＮＨＫブックス　一九七一年
斉藤吉史『東南アジア』朝日新聞社　一九七五年
小泉允雄他『東南アジアぼくらの隣人たち』ちくま少年図書館三十二　一九七六年
矢野暢編著『東南アジア学への招待』放送ライブラリー八　一九七七年
永積昭『東南アジアの歴史』講談社現代新書　東洋史七　一九七七年
永積昭『アジア多島海』講談社　世界の歴史十三　一九七七年
石井米雄『インドシナ文明の世界』同十四　一九七七年
竹林卓二『山地と平地のくらし』社会と文化・世界の民族　朝日新聞社　一九七七
矢斉藤吉史『国際史の中の東南アジア』ＴＢＳブリタニカ　一九八〇年
鶴見良行『マラッカ物語』時事通信社　一九八一年
佐々木高明『照葉樹林文化の道』ＮＨＫブックス　一九八二年
綾部恒雄他編『もっと知りたい東南アジア』全六巻　弘文堂　一九八二～八三年

矢野暢「東南アジア世界の構図」ＮＨＫブックス　一九八四年
大林太良編『東南アジアの民族と歴史』民族の世界史六　山川出版社　一九八四年
可児弘明『シンガポール海峡都市の風景』岩波書店　一九八五年
石井米雄『東南アジアを知る事典』平凡社　一九八六年
桜井由躬雄他『東南アジア』地域からの世界史４　一九九三年
鶴見良行『東南アジアを知る』岩波新書　一九九五年
古田元夫『東南アジア史10講』岩波新書　二〇二一年

オセアニア

石森秀三『太平洋の民族』社会と文化・世界の民族　朝日新聞社　一九七七年
民族探検の旅第一集石毛直道編『オセアニア』学習研究社　一九七七年
石川栄吉監修『太平洋の島々―ポリネシア・ミクロネシア』世界の民族八　平凡社　一九七九年

北大路弘信・百合子『オセアニア現代史』世界現代史三六　山川出版社　一九八二年
小林泉『ミクロネシアの小さな国々』中公新書六五七　一九八二年
石川栄吉『オセアニア世界の伝統と変貌』民族の世界史一四山川出版社　一九八七年
石川栄吉編『オセアニア世界の伝統と変貌』山川出版社　一九八七年
石川栄吉他監修『オセアニアを知る事典』平凡社　一九九〇年
高山純・石川栄吉・高橋康昌『オセアニア』地域からの世界史一七　朝日新聞社　一九九二年
佐藤幸男編集『世界史のなかの太平洋』太平洋世界叢書一　国際書院　一九九八年
関根正美　現代オセアニア政治・社会論（序説）法学研究86巻7号　二〇一三年

ラテンアメリカ
泉靖一『インカ帝国』岩波新書　一九五九年
山本進『中南米』岩波新書　一九六〇年

増田義郎『古代アステカ王国』中公新書　一九六三年
石田英一郎『マヤ文明』中公新書　一九六七年
増田義郎『マヤの神殿』世界の文化史蹟九　講談社　一九六八年
泉靖一『メキシコ革命』中公新書　一九六八年
寺田和夫『インカの遺跡』世界の文化史蹟別巻　講談社　一九七〇年
ジャック・スーステル『新大陸の先スペイン期文明』岩波講座世界歴史一六　一九七〇年
増田義郎『アステカ文明』クセジュ文庫白水社　一九七一年
加茂雄三『インカ帝国探検記』中公文庫　一九七五年
増田義郎『インディオ文明の興亡』世界の歴史七　講談社　一九七七年
ラテンアメリカ協会編『ラテンアメリカの独立』世界の歴史二三　講談社　一九七八年
狩野千秋『マヤとアステカ』世界史研究双書二十五　近藤出版社　一九八三年
ラス・カサス『インディオ史』大航海時代叢書第Ⅱ期二一〜二四　岩波書店　一九八一〜九二年

志摩麗子『カリブ・闇と光の宴』筑摩書房　一九八三年
大貫良夫『民族交錯のアメリカ大陸』民族の世界史一三　山川出版社　一九八四年
岡部広治他『ラテンアメリカの世界』第三世界を知る四　大月書店　一九八四年
増田義郎他編『ラテンアメリカ世界』その歴史と文化」世界思想社　一九八四年
ラテンアメリカ協会編『ラテン・アメリカ事典』ラテンアメリカ協会　一九八四年
加茂雄三編『ラテンアメリヵハンドブック』講談社　一九八五年
細野昭雄・恒川恵二『ラテンアメリカ危機の構図』有斐閣　一九八六年
大貫良夫他監修『ラテンアメリカを知る事典』平凡社　一九八七年
伊藤千尋『燃える中南米』岩波新書　一九八八年
染田秀藤編『ラテンアメリカ史』世界思想社　一九八九年
増田義郎『略奪の海カリブ』岩波新書　一九八九年
加茂雄三『地中海からカリブ海へ」これからの世界史6　平凡社　一九九六年
大井邦明・加茂雄三『ラテンアメリカ』地域からの世界史一六　一九九二年
高橋均・網野徹哉『ラテンアメリカ文明の興亡』世界の歴史一八　中央公論社　一九九七

年
高橋均『ラテンアメリカの歴史』世界史リブレット二六　山川出版社　一九九八年
増田義郎『物語ラテンアメリカの歴史』中公新書　一九九八年
清水透『ラテンアメリカ五〇〇年』岩波現代文庫　二〇一七年

補章　世界における戦争違法化の歩み

筒井若水『戦争と法』東大出版会　一九七一年
三石善吉『戦争違法化とその歴史』東京家政学院筑波女子大学紀要第八集　二〇〇四年
猪口邦子『戦争と平和』東大出版会　一九八九年
香西　茂『国連の平和維持活動』有斐閣　一九九一年
足立純夫『最新戦争論―戦争と国際法の現状―』学習研究社　一九九一年
筒井若水『国連体制と自衛隊』東大出版会　一九九二年
城戸正彦『戦争と国際法』嵯峨野書房　一九九三年
林　茂夫『戦争の歴史』日本大百科全書　一九九五年

『歴史学事典』第七巻　戦争と外交　弘文堂　一九九九年
樋山千冬『冷戦後の国連安保理決議に基づく多国籍軍』レファレンス　二〇〇三
矢代絢子『武力紛争法の成り立ち』法政大学国際法研究会
石本靖男「国際法の発展」『祖川武夫論文集、国際法と戦争違法化』第一部第一章　信山社出版　二〇〇四年
石本靖男「戦争観念の転換」
『祖川武夫論文集、国際法と戦争違法化』第三部第一章　信山社出版　二〇〇四年
最上敏樹『いま平和とは、新しい戦争の時代に考える』ＮＨＫ人間講座　二〇〇四年
筒井若水『違法の戦争、合法の戦争』朝日新聞社二〇〇五年
山内　進『正しい戦争という思想』勁草書房　二〇〇六年
島村久幸『戦争倫理学序説』東京大学大学院応用倫理・哲学論集三　二〇〇六年
稲原泰平『戦争と平和―正戦と不正戦―』金沢星稜大学　第二一講
伊藤憲一『戦争史の観点から見た現代』青山学院大学国際政治学最終講義　二〇〇六年
阿部浩己・鵜飼哲・森巣浩『戦争の克服』集英社　二〇〇六年

藤田久一『戦争の国際法』世界第百科事典　二〇〇七年

著者プロフィール

佐々木寛（ささき　ゆたか）
１９３７年、満州・安東市に生まれる。
東京教育大学文学部東洋史専攻修士課程卒業。都立上野高校教諭・都立足立西高校教頭、目白学園高校教諭、目白大学講師などを歴任。

南からの世界史

北に覆われた南の浮き沈み：改訂版

2023年1月20日発行

著　者　佐々木寛
発行者　向田翔一

発行所　株式会社 22 世紀アート
〒103-0007
東京都中央区日本橋浜町 3-23-1-5F
電話　03-5941-9774
Email: info@22art.net　ホームページ：www.22art.net

発売元　株式会社日興企画
〒104-0032
東京都中央区八丁堀 4-11-10 第 2SS ビル 6F
電話　03-6262-8127
Email: support@nikko-kikaku.com
ホームページ：https://nikko-kikaku.com/

印刷
製本　株式会社 PUBFUN

ISBN：978-4-88877-143-6